5.00 ecf

la RECHERCHE du «MATRIMOINE»

TÉMOIGNAGES

Direction d'édition:
Elizabeth Côté

Conception graphique:
Liz Davidson

Photos page couverture:
Plan avant Judith Crawley
Plan arrière Randy Saharuni

Photocomposition et mise en page:
Rive-Sud Typo Service Inc.

Imprimerie:
Métrolitho Inc.

Distribution:
Elizabeth Côté Communications
C.P. 693
Sutton, Québec
J0E 2K0

Dépôt légal 4e trimestre 1991 — Bibliothèque nationale du Québec

Imprimé au Canada

Données de catalogage avant publication (Canada)
La recherche du «matrimoine»

ISBN 2-9802749-0-9

1. Femmes en agriculture — Québec (Province). 2. Vie rurale — Québec (Province). 3 Sociologie rurale — Québec (Province).
I. Côté, Elizabeth, 1949-

HD6073.F32C3 1991 331.4'83'09714 C92-090015-1

LA RECHERCHE DU «MATRIMOINE»

TÉMOIGNAGES

Recueil de textes sous la responsabilité de
Élizabeth Côté

À mes enfants,
Jan et Sarah-Maya
la relève

AVANT-PROPOS

L'idée originale de ce livre remonte à il y a bientôt quatre ans lorsque je dirigeais une petite maison d'édition spécialisée dans la publication d'ouvrages agricoles. Fraîchement arrivée dans ce milieu, je me suis familiarisée avec ce nouveau monde en parcourant les publications d'une revue agricole dont la parution s'échelonnait sur dix ans. Entre les articles, à travers les lignes, la présence timide des femmes et leur silence attirèrent mon attention et je voulus tout de suite faire un livre qui parlerait d'elles.

Je m'aperçu très vite de l'ampleur, du dynamisme et de la spécificité du mouvement des agricultrices, qui se penchait alors sur le problème de la qualité de vie. Il me semblait que parmi les différents écrits sur les agricultrices déjà parus, nul n'avait réellement traité de ces aspects non-dits, respect, reconnaissance, relation homme-femme, difficulté de communiquer, violence, etc. J'ai alors rassemblé un collectif d'une vingtaine d'auteurs, constitué d'agricultrices et de spécialistes du monde agricole. C'est ainsi que **Portraits, des femmes de coeur et d'action** vit presque le jour...

Pour toutes sortes de raisons, ce projet n'a jamais été rendu à terme. La vie a repris son cours et je suis redevenue pigiste. Durant les périodes creuses, ce manuscrit me hantait et je cherchais, à temps perdu, un éditeur susceptible d'être intéressé. À l'été 91, j'ai finalement reçu une réponse affirmative. Trois années s'étaient écoulées, bien des choses avaient évolué, certains textes devaient être réécrits, mis à jour, et des nouveaux devaient être commandés. Je me rendis compte qu'il m'avait été beaucoup plus facile de poursuivre « l'idée » de ce livre qu'il le serait de le réaliser de façon concrète. À mesure que le contenu se précisait, le projet m'est devenu beaucoup plus personnel et j'ai finalement pris la décision de l'éditer moi-même. N'était-il pas question à travers cet ouvrage d'assumer une certaine responsabilité et de prendre sa place ?

Il en résulte un livre complètement différent. Truffé de témoignages et de réflexions, **La recherche du « matrimoine »** aborde l'urgence de redonner aux femmes en agriculture la place qui leur revient. Il s'inscrit dans la recherche d'une agriculture plus humaine, pour ne pas dire plus « féminine », soucieuse de développer un rapport plus harmonieux avec la terre. C'est dans cet esprit que le terme « matrimoine », mot qui ne figure pas au dictionnaire, a été mis de l'avant. C'est en quelque sorte la revendication d'une partie de notre héritage.

Elizabeth Côté
Novembre 1991

REMERCIEMENTS

Merci avant tout, à toute l'équipe des Éditions Pinacle pour leur soutien financier et technique durant la première phase du projet, sans lequel l'idée même du livre n'aurait jamais vu le jour.

Merci aussi aux auteurs(es) pour leur collaboration et leur patience, en particulier Suzanne Dion qui n'a jamais cessé de m'encourager tout en étant une source de renseignement inestimable et Danièle Dansereau, pour sa générosité d'âme et ses précieux conseils au niveau de la rédaction. Merci également à la Fédération des agricultrices du Québec, qui par l'entremise de ses secrétaires, Marie-Claire Larose et plus récemment Lise Dufort ont assuré la diffusion auprès des agricultrices. Merci à Rose Bernier, Danielle Claing, Liz Davidson, Suzanne Gourdeau Stairs, Sylvie Grenier, Ginette Loranger et Gabriel Sullivan pour leur aide durant les différentes étapes de production.

Merci aussi aux personnes-ressources qui ont été consultées en cours de route : Elke Abrell, Monique Bernard, Monique Bégin, Huguette Boivin, Marie Bouillé, Hélène Courtemanche, Solange Gervais, Noëlla Huot, Michel Morisset, Yvonne Morissette, Greta Nemiroff, Evelyne Perron, Thérèse Perron, et Lise Sarrazin.

Merci enfin aux agricultrices qui ont été notre source d'inspiration première.

PHOTO: RANDY SAHARUNI

ROSALINE LEDOUX

INTRODUCTION

On ne parle véritablement des agricultrices au Québec que depuis une dizaine d'années. Ce terme était utilisé à l'intérieur des pages dites féminines de **La Terre de chez nous** depuis le début des années 80, imitant en cela certaines publications agricoles françaises, mais le mot « agricultrice » comme tel n'est au dictionnaire que depuis six ans. Cela signifie-t-il que des agricultrices, ici, il n'y en avait pas?

Bien sûr que non. Ces femmes existaient, mais elles n'étaient pas nommées. Il y avait la femme de Jean, la mère d'Arthur, la soeur de Jacques, mais pas de Louise qui fait le train soir et matin, de Rose qui aide aux foins et aux récoltes et de Louisette qui tient la comptabilité depuis 1964. C'était ainsi. Les femmes aidaient, collaboraient, soutenaient, mais on ne les considérait pas comme des travailleuses reconnues dans une entreprise, des personnes qui pouvaient signer « agricultrice » dans la case indiquée lors des recensements.

On considérait alors que le travail donné à la ferme était normal dans la situation de mariage et qu'il faisait partie du « support mutuel ». Certaines veuves continuaient à exploiter et à diriger des entreprises après la mort du conjoint, cela jusqu'au moment où le plus vieux des garçons était capable de prendre la relève. Il ne serait venu à l'idée de personne de laisser sa terre à sa fille. Si par hasard elle était l'unique héritière, on avait hâte de la voir se marier pour que le mari prenne l'entreprise.

Les choses ont continué ainsi jusqu'au tournant des années 80. Maintenant, tout a bien changé. Sur les 43 000 producteurs agricoles reconnus en 1990, 10 000 sont des femmes propriétaires en tout ou en partie de leur exploitation.

Qu'est-ce qui a bien pu amener tous ces changements?

La femme organisée

On peut dire en boutade qu'autrefois les femmes se faisaient organiser. Maintenant, elles s'organisent elles-mêmes.

La première agricultrice citée dans notre histoire c'est Marie Rollet, l'épouse de Louis Hébert, le premier agriculteur canadien. Après ce nom, silence complet. Les femmes dont on fait mention sont des fondatrices de communauté: les Marie de l'Incarnation, les Jeanne Mance, les Marguerite d'Youville. Les femmes ordinaires, celles qui vivaient le mariage, formaient alors avec leurs grosses familles de véritables communautés familiales. On a magnifié la mère dans notre histoire, on l'a chantée, mais elle n'a nulle part de statue, encore moins de statut véritable en tant que mère travailleuse. C'était pourtant elle qui en plus de la maison, des enfants, voyait au jardin, au potager, à la basse-cour, souvent à l'étable. Pendant les longs mois où le mari partait au chantier c'est la femme qui voyait à tout: enlèvement de la neige, soin des bestiaux, conservation des aliments, etc.

Et pourtant quel village du Québec se souvient d'une femme agricultrice assez bien pour lui avoir dédié un bout de rang, une école, un pont? Nous vivions sur le plan civil dans un régime qui n'a jamais tenu compte de l'apport de la femme. Le mari chef de la communauté était le porte-parole public de l'entreprise. Même ivrogne, paresseux et trouble-fête, c'est à lui qu'on s'adressait, lui qui votait et qu'on considérait comme la personne responsable dans l'entreprise. Il faudra attendre 1931 pour qu'en ce pays les femmes soient considérées comme des personnes, par une Loi fédérale.

Un peu d'histoire

Cependant en 1915, devant l'exode de nos meilleurs éléments vers les usines textiles de la Nouvelle-Angleterre, deux agronomes du ministère de l'Agriculture du Québec, MM. Bouchard et Désilets, songèrent à fonder ici des Cercles de Fermières. Sur le modèle d'organismes féminins regroupant les femmes en Belgique. Pour apprendre aux femmes d'ici les vertus de l'économie domestique, à tirer le plus grand avantage de peu de choses : cuisine saine, beau potager, tricot, tissage, couture. Pensant ainsi que les Cercles en faisant de meilleures ménagères garderaient les maris sur le sol d'ici. C'est ainsi que les femmes apprirent à sortir de la maison, à se regrouper, à vaincre leur solitude, à apprendre ensemble autre chose que l'écriture et l'arithmétique. Elles apprirent à se connaître et à partager, à préparer des réunions, à respecter un ordre du jour, etc.

Au fil des années, d'autres organismes féminins prirent naissance dans le milieu, les Cercles d'économie domestique et l'Union catholique des femmes rurales. Ce dernier regroupement répondait à un voeu des évêques qui craignaient que la sujétion des Cercles des Fermières au gouvernement provincial ne devienne un danger advenant l'avènement de régimes sans-Dieu. Ce fut un déchirement dans les Cercles qui imposa aux femmes d'alors de douloureux débats. Mais les forces normales de la vie ont repris leur cours. Aujourd'hui l'AFEAS, Association Féminine d'Éducation et d'Action sociale, issue des CED et de l'UCFR, continue de regrouper les femmes du milieu rural et des petites villes. L'Association des femmes collaboratrices issue elle aussi du milieu rural cherche à donner un statut à la femme qui collabore dans l'entreprise.

Les femmes en agriculture ont commencé à faire des vagues à la fin des années 70. **La Terre de chez nous** a donné la parole aux femmes, elles l'ont prise et elles l'ont gardée. En 1981, à l'intérieur de La Terre une enquête dirigée par Mme Suzanne Dion a permis aux agricultrices de nous dire ce qu'elles étaient, ce qu'elles faisaient et ce qu'elles voulaient.

C'est à partir du résultat de cette enquête que les comités de femmes en agriculture ont vu le jour dans les principales régions du Québec. De là sont nés les syndicats d'agricultrices et la Fédération des agricultrices du Québec.

Les agricultrices ont donc un siège au conseil général de l'UPA centrale, mais c'est surtout dans les régions et dans les secteurs que leur influence se fait sentir. Elles avouent toutes trouver dans leur regroupement le réseau qui enfin leur apporte l'essentiel : la solidarité, le rapprochement avec les semblables, le support des connaissances de l'autre et la compréhension du milieu.

L'autre femme

Qu'est-ce qui a aussi amené ces grands changements que l'on observe partout dans le milieu rural dans la mentalité des femmes ? En tant que responsable du « Courrier de Marie-Josée » dans **La Terre de chez nous**, je peux certes tenter d'apporter des réponses à cette évolution des mentalités.

Les profonds changements qu'ont entraînés dans le milieu rural le brassage des jeunes dans les polyvalentes et les cégeps ont inévitablement eu leur répercussion dans le milieu. Quand autrefois on allait à l'école de son rang ou de son village, on ne faisait connaissance qu'avec un nombre restreint de jeunes, on se mariait dans son milieu, on reproduisait les modèles reçus des parents et des grands-parents. Avec les remous des années 60, les jeunes gens et les jeunes filles se sont regroupés par région, ont appris à connaître d'autres usages, d'autres mentalités, à vivre plus librement leurs opinions, leur sexualité.

Ainsi dans les années 60, beaucoup de très jeunes écrivaient au Courrier pour savoir à quoi s'en tenir sur l'initiation à l'amour, sur les méthodes de contrôle des naissances. Même des femmes et des hommes plus âgés cherchaient à savoir l'ABC en ce domaine. Aujourd'hui, plus personne n'écrit sur la question. Ce qui ne veut pas dire que tout est clair, mais ce n'est plus dans la mentalité.

Les femmes qui avaient appris à se reconnaître dans des associations conçues pour elles écoutaient la radio, suivaient la télévision. Le déferlement du féminisme a amené une prise de conscience chez beaucoup de femmes. Elles ont compris que la première libération passait par l'économique. Tant qu'on est obligé de demander un dollar pour s'acheter une paire de bas, on est sous la coupe d'autrui. Les femmes ont commencé à lire les féministes : Betty Friedan, Germaine Greer, Simone de Beauvoir. Dans notre milieu, des femmes comme Lise Payette ou Janette Bertrand ont influencé aussi les femmes du milieu rural.

Après avoir appris à se parler entre elles, les agricultrices ont trouvé bonne oreille auprès du ministère de l'Agriculture du Québec qui a créé le poste de répondante à la condition féminine. De multiples pressions ont amené le gouvernement a débloquer les budgets nécessaires pour l'organisation des femmes et surtout pour amener le crédit agricole à s'ouvrir à elles par la prime à l'établissement. Ce qui a amené un accès plus facile à la propriété et le nombre accru de productrices agricoles reconnues. Ce qui oblige la personne à mettre en marché pour plus de 3 000$ de produits agricoles par année.

Pendant ce temps, un certain nombre de femmes se sentent un peu laissées pour compte. Chez les plus âgées, les 50 ans et plus qui ont usé leurs mains et leur coeur pour rien pendant toutes leurs années de mariage et qui se retrouvent au seuil de la retraite avec des perspectives de vie bien minces: elles attendent leur premier chèque de pension qui sera alors le seul argent dont elles pourront disposer elles-mêmes. Elles ont formé pendant de longues années une clientèle fidèle du «Courrier de Marie-Josée» où elles ont déversé le trop-plein de leur amertume. Que conseiller à ces femmes dont l'aigreur irrite souvent un conjoint devenu insupportable et qui ne disposent d'aucun moyen financier ou psychologique pour changer leur situation?

Pendant ce temps, pour la première fois dans l'histoire agricole de notre Québec, des agricultrices peuvent dire fièrement «nous vivons dans le métier que nous avons choisi et nous l'aimons». Plutôt que de se contenter de dire: «nous aimons bien le métier de notre mari», comme elles le signalaient dans l'enquête de **La Terre de chez nous** en 1981.

De tout temps au Québec, les femmes ont été plus instruites que leurs maris, dans le milieu agricole du moins. Toutes ces institutrices qui ont formé les générations d'enfants ont ensuite épousé des cultivateurs. Même quand elles n'allaient pas plus loin que la septième année, les jeunes filles étaient souvent plus alertes que les garçons pour manier la plume et tenir les livres.

L'écart se rétrécit entre les sexes à ce propos. Mais je pense que les femmes ont encore une longueur d'avance. Il n'y a aucune classe de gens au Québec qui suivent davantage de cours que les agricultrices et les agriculteurs; formation de toutes sortes: comptabilité, gestion, informatique, psychologie, dynamique de groupes, etc.

Ce qui empêche les femmes d'aller plus loin encore ce sont les tâches ancestrales de tenue de maison et d'éducation des enfants. Les agricultrices continuent de privilégier le soin de leurs enfants et se font du souci quand elles doivent les amener avec elles dans des tâches dangereuses et ne veulent pas les laisser seuls à la maison. Elles militent pour trouver une formule de gardiennage souple et efficace et pour faire reconnaître l'aide domestique comme une aide à la ferme.

Proches de la vie et gardiennes de ses valeurs, les agricultrices ont contribué à humaniser le langage des agriculteurs et à inclure le souci de la qualité de vie et de protection de l'environnement comme des priorités dans les entreprises.

Le grand mouvement qui les a fait passer des tâches secondaires et du statut de «Madame de» à celui d'agricultrice reconnue et fière de l'être ne saurait s'arrêter. À moins que des bouleversements économiques majeurs ne viennent écraser complètement l'agriculture, les femmes continueront d'évoluer et de faire grandir leur profession.

Rosaline Ledoux
Journaliste à La Terre de chez-nous

PREMIÈRE PARTIE :

RECONNAISSANCE

«Agricultrice: c'est dur, très dur...
mais passionnant... il ne nous manque rien,
rien qu'un peu de temps.»[1]

(1) Extrait de la revue Entreprises agricoles, no 146, mai 1982, p. 35

MARIETTE TROTTIER

1 LA RECONNAISSANCE DU TRAVAIL DES AGRICULTRICES AU FOYER

L'ÉLOGE DU TEMPS PERDU...

D'hier

Lorsque j'étais petite, j'étais toujours impressionnée des dons que maman pouvait faire à son entourage (à la parenté ou aux voisines), des productions, disait-elle, de ses temps perdus... Les « au revoir » étaient régulièrement ponctués de « merci », tantôt pour les conserves, tantôt pour les broderies, tantôt pour les catalognes... Pour moi, ce rituel avait une valeur... sans prix...

Maman était toujours la première levée : dès 5 h 30, à l'heure où la brume se dissipe à l'horizon, elle allumait les feux des poêles à bois, beau temps, mauvais temps, pour cuire les aliments ou pour chauffer la maison. L'été, nous cuisions dans cette maison surchauffée ; mais l'hiver, son geste était pour nous le geste du salut.

Puis, c'était le train... En priorité, maman était responsable de rapporter à la maison, tous les jours de l'année, le lait et la crème, pour la consommation domestique. Lorsqu'elle revenait de l'étable avec sa chaudière à bec pleine à ras bord de lait bien chaud, le bruit du transvidage dans les pintes alignées sur la table nous tirait du lit.

Maman avait à nourrir une grande famille : outre ses enfants (nous étions trois) et son mari, maman devait cuisiner pour la mère de mon père, la soeur de mon père et le neveu de mon père ; de plus, la corvée des foins, celle des moissons, celle de la boucherie, et combien d'autres augmentaient les places à table d'un ou de plusieurs engagés, au gré des saisons...

Nous vivions au rythme du temps, conditionnés par la température. À ma souvenance, il y avait toujours de quoi sur la table et une théière pleine sur le poêle, au cas où la fringale tenaillerait l'un ou l'autre des membres de la maisonnée.

Grand-maman régnait en autorité dans cette maison : ses quatre-vingts ans passés et son ancien rôle de maîtresse des lieux lui conféraient un pouvoir occulte mais combien présent ; c'est elle qui occupait la chambre du rez-de-chaussée, dont la porte s'ouvrait à 10 h chaque matin, pour son petit déjeuner quotidien.

Toujours, le grand bol de café au lait et les rôties de pain de ménage, beurrées et rôties au four, l'attendaient, comme par magie ; une main invisible veillait au grain.

Grand-mère avait également des envies subites, le plus souvent pour des tartes au sucre ou pour des tartes au chocolat ; le plus impressionnant, c'est que ses désirs devenaient des ordres pour sa bru, c'est-à-dire pour ma mère. Avec quelle célérité celle-ci répondait à l'appel, tâche intercalée parmi celles de son train-train quotidien.

La mère de mon père avait également des privilèges : par exemple, le jour de la lessive était d'abord consacrée au lavage de « son linge » ; en second, venait le nôtre et en troisième, celui des engagés. Cette activité était une véritable corvée pour maman et meublait tous les intervalles de son temps de vie, chaque lundi de l'année, puisque les autres activités devaient également suivre leurs cours. Nous n'avions pas d'eau chaude à la maison et la machine à laver Kenmore que nous possédions n'était pas munie d'un système d'essorage automatique ni d'un système d'évacuation des eaux usées. La journée passait donc à effectuer les opérations de remplissage, d'essorage et de « vidangeage » inhérentes à cette activité.

Le repassage me fascinait tout autant : tard, en soirée, maman sortait sa planche de bois recouverte d'un vieux drap et s'installait au bout de la table ; deux fers à repasser, prenaient place sur le poêle à bois en attendant d'être utilisés à tour de rôle : à l'aide d'une poignée de bois amovible, maman sélectionnait le fer le plus chaud et repassait d'un geste alerte les robes d'école de ses filles, les robes de nuit de grand-maman ou la literie de la maison...

La fabrication de ces vêtements n'était pas non plus une mince affaire: sur la machine à coudre à pédale de grand-mère, maman trouvait le temps de confectionner un pantalon pour ma poupée Jean-Baptiste en même temps qu'une robe à boléro pour moi-même... en la voyant faire, je voulais devenir couturière...

Les jours de corvée, maman devenait femme-orchestre; ces gestes précis étaient calculés, son temps de vie semblait prendre l'extension nécessaire pour tout faire et son énergie semblait sans limite... Jamais cette personne ne sollicitait de l'aide de qui que ce soit... nous, ses enfants, prêtions main forte selon notre bon vouloir alors que grand-maman égrenait son chapelet en maugréant contre les envahisseurs anglais...

Grand-mère était maîtresse d'école, grande lectrice de l'Action Catholique et évaluait en avoir fait assez dans sa vie... sa passion était de nous voir grandir, en nous enseignant les premiers rudiments de la langue française et ceux des mathématiques; quant aux travaux de la ferme, outre le plaisir de cueillir les fraises avec nous, de tailler des plants de tomates et de participer au «cannage» des légumes, c'était, à son avis, dorénavant l'affaire de maman.

Nous avions de grands champs de pommes de terre, de maïs, de navets, de tomates, etc., suffisamment, en tout cas, pour la consommation annuelle de toute la maisonnée. À l'automne, c'était le branle-bas dans la cuisine pour la mise en conserve des légumes: nous échaudions des seaux de tomates, nous égrenions des douzaines d'épis de maïs avant que maman ne procède à leur mise en pots et à leur cuisson. Puis s'entassaient dans le sous-sol avec les pots de confiture, de viande et de légumes, les jarres de lard salé, les cruches de vin de cerise, les pommes de terre, les navets et les choux. Quelle somme de travail maman investissait chaque année à la préparation de ces réserves!

Le temps des Fêtes était une autre période spéciale dans l'année. Maman terminait souvent ses pâtés à la viande tard en soirée, au son des chants de Noël alors que nous veillions dans la cuisine d'été, que nous habitions d'ailleurs à l'année; du fourneau surgissait, dans les écuelles noircies par le feu, de beaux pâtés dodus et dorés, certains étoilés, d'autres arborant un fier sapin. Il nous arrivait alors de prendre un quatrième repas, de goûter à ces pures merveilles de l'art culinaire de la femme que j'admirais le plus au monde.

Nous étions les dignes héritiers de la maison paternelle... par ailleurs, ce titre nous conférait l'obligation des réceptions grandioses du Jour de l'An... maman préparait alors des tables bien garnies et vaquait à toutes les occupations d'une maîtresse de maison accomplie...

Maman travaillait tout le temps... en saison morte, elle retricotait les pieds usés des bas de chantier, nous confectionnait tuques et mitaines ou terminait nos broderies inachevées...

Cette femme n'était pas sorteuse... elle n'en avait pas le temps, disait-elle, puisqu'elle ne réussissait jamais à mettre le point final au travail qui la sollicitait... Mis à part la pause dominicale, le temps de maman était du temps travail... il suffisait qu'elle s'absente, accidentellement, pour que soient paralysées les manifestations de la vie quotidienne de la maisonnée ; aussi, son retour était-il toujours accompagné de soupirs de soulagement... Je me demande ce que nous serions devenus sans elle...

...à aujourd'hui

Quarante ans plus tard, les exigences de la qualité de vie recherchée sur les fermes de même que le souci de tenir compte des conseils d'experts dans l'éducation des enfants, la saine nutrition et le maintien de la santé ne diminuent en rien le temps-travail consacré à l'exécution des tâches domestiques, malgré la mécanisation et l'électrification des outils de travail utilisés. Des recherches effectuées dans ce sens au Canada, aux États Unis, en France et en Angleterre le démontrent.

La recherche des aliments naturels de culture biologique, protéinés, vitaminés, équilibrés nécessite parfois des déplacements insoupçonnés ; la cueillette des champignons sauvages, des crosses de violon, le séchage des fruits mobilisent une portion du temps de vie de plusieurs agricultrices actuelles.

« Un esprit sain dans un corps sain » est plus vrai que jamais et les femmes s'évertuent à faire de l'acrobatie culinaire afin d'atteindre au moins le standard préconisé par les experts.

PHOTO: JUDITH CRAWLEY

Le congélateur a remplacé la mise en conserve... cela n'a cependant pas diminué le temps de préparation des aliments pour leur conservation ; il faut maintenant apprendre les normes de congélation : le minutage du blanchiment, l'emballage sous vide, l'étiquetage des contenants et mémoriser le temps de conservation des divers produits. Un congélateur bien rempli a remplacé une « dépense » bien garnie.

La recherche de vêtements de qualité faits de fibres naturelles, de coton, de laine ou de lin ne diminue en rien leur temps d'entretien : des heures de repassage sont encore requises ; de plus, cette opération s'effectue maintenant plus souvent qu'avant : les standards de propreté ont augmenté avec le temps.

Une maison propre, en ordre correspond maintenant à des planchers qui brillent, des carreaux qui chantent, des éviers, poêles et lavabos qui respirent la fraîcheur ; à cela s'ajoute la décoration des lieux : le papier peint, tantôt au plafond, tantôt sur un mur (et pas n'importe lequel) doit s'harmoniser aux teintes de la céramique ; les tons utilisés doivent être ceux de la mode du jour. Certains ingénieurs domestiques recommandent même le renouvellement des cuisines tous les cinq ans.

L'extérieur n'est pas en reste : l'aménagement paysager requiert également beaucoup de temps et d'expertise : les abords fleuris de la ferme, l'emplacement de la piscine creusée et du patio, pour les barbecues, doivent être visualisés sur le plan avant d'être concrétisés.

Quant aux soins des enfants, le temps à leur consacrer s'est maintenant élargi : les pédiatres, psychologues et naturopathes interviennent, à tour de rôle, pour dicter leur normes de croissance physique et mentale... l'observation minutieuse de la croissance de leur progéniture devient un devoir souvent culpabilisant pour les femmes en agriculture : d'une part, les agricultrices ont la crainte d'amener leurs enfants, en bas âge, aux champs lorsqu'elles y travaillent puisque les services de garderie en milieu rural ne sont pas monnaie courante ; ce faisant, elles exposent leurs petits aux insecticides et aux herbicides régulièrement utilisés maintenant en agriculture ; de même, le risque d'avoir des accidents est constamment présent ; d'autre part, le fait de les laisser seuls à la maison ne les sécurisent pas davantage : « S'il fallait qu'il leur arrive quelque chose en mon absence, se disent-elles, je ne me le pardonnerais jamais».

Il est bien connu que les femmes sont encore les premières responsables du soin des enfants y compris leur éducation, en agriculture comme ailleurs; à ce titre, elles sont tenues les premières responsables de quelque écart, à un niveau ou à un autre.

Toutes les tâches qui leur sont attribuées, les femmes en agriculture les effectuent dans la perspective de créer une vie de qualité pour les leurs; avoir des enfants plus en santé, mieux habillés, leur offrir toutes les possibilités de développement possibles; cuisiner à base de produits plus naturels, élaborer des menus plus équilibrés, varier davantage; avoir une maison plus propre, mieux décorée, pleine de commodités; avoir des vêtements de meilleure qualité, de fibres naturelles, pratiques et confortables, en plus grande quantité; avoir une maison aux abords aménagés, fleuris, une terrasse avec barbecue, une piscine creusée... pour les loisirs à la maison...; de l'eau pure, de l'air frais, de la tranquilité...; la proximité d'une garderie, la possibilité de suivre des cours, le soir... avoir le temps d'assister aux réunions de l'U.P.A. et... avoir du temps pour soi...; voilà le portrait-type idéalisé de la vie sur la ferme, au début des années 1990. Il ne manque rien, rien qu'un peu de temps.

La reconnaissance sociale du temps perdu...

Selon Alice Barthez, «en agriculture, il n'existe pas de temps de travail opposé à un temps de non-travail; le «loisir» n'a pas de place dans le calendrier rural. L'ensemble de l'existence est travail, d'où son caractère personnifié qui empêche de la découper et d'en définir la valeur».[2]

Pour les femmes, l'éducation qu'elles ont reçue intervient comme mesure de renforcement des attitudes ainsi générées: l'idéologie de l'amour les a placées dans une position «d'être au service de...», «de vivre en fonction de...», «d'être par l'entremise de»; la modulation de leurs comportements sociaux a donc toujours été conditionnée par la place qu'on leur a assignée, le rôle qu'on leur a demandé de jouer, l'utilité qu'on leur a définie...

(2) Barthez, Alice, Famille, travail et agriculture, Paris, Economica, 1982, p. 34

Ainsi, en agriculture, avons-nous assisté historiquement à la valse, hésitation de leur présence aux champs ou de leur retrait au foyer, selon la conjoncture du moment : au début du siècle, par exemple, la main-d'oeuvre nombreuse étant nécessaire à la maintenance des fermes de subsistance, les femmes sont alors visiblement actives dans les travaux agricoles. Par ailleurs, aux alentours des années 40, la mécanisation du travail sur la ferme incite à leur retour au foyer ; c'est l'époque où le « beau teint de lait » est valorisé, signe d'une ascension sociale au rang des femmes de la ville : les femmes se retirent dans leur intérieur lorsque la ferme est suffisamment rentable pour le leur permettre. Celles qui sont contraintes de continuer leur labeur « extérieur » portent alors des blouses à manches longues et des chapeaux de paille à large bord ; elles désirent ainsi atténuer l'effet des rayons du soleil et rendre le plus possible « invisible » leur présence aux champs. Par ailleurs, au même moment, la salarisation du travail a comme effet de rendre également « invisible » tout travail non rémunéré, dont le travail au foyer.

Dans la foulée de la prise de conscience de la place des femmes dans la société, de celle de la valorisation de l'activité du secteur primaire de l'économie qu'est l'agriculture, de la décennie 70, se dessine un mouvement de retour à la terre des femmes en agriculture : les exigences de la rentabilité économique des fermes toujours plus grandes, toujours plus spécialisées et toujours plus endettées incitent à la mobilisation de tout le travail familial possible afin de joindre les deux bouts ; par ailleurs, la prise de conscience de leur situation économique précaire[3] de même que celle de l'individualisation des comportements sociaux incitent les agricultrices à s'accorder un temps d'arrêt pour repenser leur présent et leur avenir. Elle en conclut ceci : pour une semaine-type de cinq jours, plus temps et demi pour le samedi et le dimanche, une agricultrice valait 922,80$ en 1985[4], le calcul étant effectué selon la valeur moyenne des coûts de remplacement (en dollars).

(3) D'autres études de ce genre devraient éventuellement permettre, par comparaison, de préciser ces données, de les raffiner, de les étoffer.

(4) Selon l'indice des prix canadiens, ce montant équivaut à 1218,10 en dollars de 1991

	Moyenne d'heures/ ournée	Moyenne des coûts de remplacement	Total en $ de 1985	Total en $ de 1991[5]
Travaux ménagers	5,0	7,68/h	38,42	50,71
Soins aux enfants	8,0	12,50/jr	12,50	16,50
Entretien des bâtiments et de la propriété	1,0	4,27/h	4,27	5,64
Travaux d'affaires et de gestion	1,0	35,00/h	35,00	46,20
Travail aux champs	1,3	6,66/h	8,66	11,43
Travaux à l'étable	2,5	6,66/h	16,50	21,78
	18,8		115,35/j	152,26

Mais, au-delà de celles-ci, l'inéluctable questionnement sur la visibilité de tout ce travail et sur sa reconnaissance sociale sera constamment présent. De même, l'impossibilité de mettre entre parenthèses l'un ou l'autre travail, qu'il soit effectué sur la ferme, à l'extérieur ou au foyer, devrait également guider les actions futures.

En réalité, quelle est la visibilité actuelle de tout ce travail?

Mariette Trottier

Fille d'agricultrice et auteure d'un Mémoire de maîtrise intitulé «La situation économique des productrices agricoles au Québec», Université Laval, avril 1984.

(5) Watkins, Susan, Une étude sur la contribution économique des agricultrices de l'est de l'Ontario à l'exploitation des fermes familiales, Agriculture Canada, octobre 1985, p. 22

LOUISELLE PELLETIER

2 LA CULTURE DES PETITS BONHEURS

« La ferme, sept jours sur sept » Je n'comprends pas comment vous faites. Moi, j'rêve toujours aux vendredis... puis aux vacances. C'est vrai qu'ici y a pas de patron, mais... »

« Pour ce qui est du patron, rassure-toi : on peut très bien 's'exploiter nous-mêmes'... D'autant plus que, pour le meilleur et pour le pire, le travail est toujours là, sous notre nez. Ça a été la première décision : peu importe la saison, lever à six heures, trois repas pris ensemble autour de la table, la petite sieste pour tous après dîner et un horaire de travail bien planifié entre les repas : « Si on n'arrive pas à vivre convenablement en travaillant toute la journée, on n'y arrivera pas davantage en travaillant la nuit. » C'est mon homme qui parle...

Quand même, il faut que vous aimiez ça en grand ! C'est pas tout l'monde qui aimerait ça...

« Ça !.. »

— Ben, toute seule avec les vaches, moi, j'trouverais la journée longue !

— Justement, on n'passe pas les journées « tout seul avec les vaches », le menu est varié : les semences, les coupes de foin, les réunions de toutes sortes, la tenue des livres, les registres à compléter, les cours à suivre, la terre à drainer, la maison à rénover, la visite au banquier, celle du contrôleur du laitier, des vendeurs et des conseillers...

— Là ! Là ! Arrête ou tu vas être obligée de passer deux siestes...

— C'est pour que tu comprennes, c'est loin d'être monotone ! Cependant, ça ne veut pas dire qu'en brisant la monotonie, on fait disparaître toute fatigue ; je pense qu'on devient tout simplement plus efficace au travail. En pratiquant l'alternance : commissions, travaux ménagers, sarclage, réunion de l'UPA ou du SGA, je suis souvent surprise de voir la somme de travail que je peux abattre dans une journée.

— Et ça te repose, l'alternance ?

— Moi, c'est quand je pratique l'alternance : sarclage-baignade-sarclage-jasette avec ma voisine, que je me repose... N'empêche que des fois, l'alternance, ça ne marche pas : quand ma carcasse en a assez, que la fatigue m'embrouille les gestes et les idées, rien de mieux qu'un petit séjour au pays des rêves, même en plein coeur d'après-midi... Deux heures plus tard, je suis comme une neuve.

— Tu te gâtes, la mère !

— Peut-être ! Mais je me rappelle trop bien combien il est difficile de revenir à la santé quand on a dépassé les limites, je l'ai vécu : c'est la peur qui m'a rendue sage.

— C'est la sagesse qui t'a donné l'idée de toutes ces fleurs ? Tu dois en sarcler un coup ! Remarque que je trouve ça beau en grand, mais je me demande si j'aurais le courage...

— Quand on a décidé d'exploiter cette ferme-là en société « mari et femme », on a réalisé du même coup que les escapades se feraient rares... Alors, se créer un environnement agréable, propice à la détente, cela nous est apparu aussi important que de rentabiliser l'entreprise ou d'améliorer le troupeau... On a eu beau s'y mettre : on avait planté notre maison dans le clos... Tout était à faire. Quand les fleurs et le jardin sont à leur meilleur, il m'arrive souvent de sentir que je suis un peu ailleurs, tu comprends, comme quand tu reviens du bureau...

— Ouais, mais l'ouvrage que ça te donne !...

— Cet ouvrage-là ne s'additionne pas par-dessus mes tâches habituelles. Je te l'ai dit, toute la famille aime ce décor ; aussi, dans la planification du travail, il est prévu que j'aurai le temps voulu pour m'en occuper et que mes partenaires, mari et enfants, donneront volontiers un coup de main pour son entretien. Sans cela, le « paradis » pourrait se changer en « enfer ».

— Tout de même, vous passez tout votre temps ici. Ça ne vous manque donc jamais, de voir du monde?

— Beaucoup de notre temps, mais pas tout notre temps... Et les occasions de rencontrer des gens ne sont pas aussi rares que tu crois. Prends seulement les rencontres entre producteurs et productrices : grâce à elles se crée tout un réseau de communications, d'entraide et souvent d'amitié. Je te vois grimacer ; tu as peur du ghetto, c'est ça?

— Si je ne rencontrais que des secrétaires de direction, je pense que je...

— Moi aussi! Heureusement, ce n'est pas le cas. Peut-être est-ce dû à un fort sentiment d'appartenance ou je ne sais quoi, les circonstances de la vie... mais nous comptons beaucoup d'amis de métiers différents, d'âges variés, etc. Le plus souvent, ce qui nous lie, c'est l'amour du chant et de la musique, ou des plantes... Quelle richesse! Depuis des années, mon homme et moi, et nos enfants à l'occasion, avons fait partie de chorales. C'est une détente des plus agréables ; nous avons souvent autant de plaisir à apprendre les chants qu'à donner les concerts...

— Tu es chanceuse ; j'ai toujours rêvé de chanter dans une chorale... mais j'nai pas le temps.

— On va prendre une marche jusqu'au champs de maïs? Il est superbe, cette année... Ça, c'est une de mes manies : » Viens-tu voir-ci? Viens-tu voir ça? » J'aime à partager avec les gens la satisfaction qu'on éprouve devant une belle récolte. Un ami m'a dit : « C'est pas donné à tout le monde de pouvoir contempler le fruit de son ouvrage... » Comme je suis d'accord avec lui!

— Allons-y! En fin de compte, tu es en train de me dire que les agricultrices peuvent s'accorder des loisirs?

— On ne peut rien te cacher ; maintes activités sont à notre portée autant qu'à celle de tout le monde. Je pense à la lecture, (surtout s'il y a une bibliothèque dans les parages), à la peinture quelquefois, à la correspondance (tu sais ce que ça fait de recevoir une vraie lettre à la poste?), à une soirée à l'opéra, au cinéma, ou au plaisir cent fois renouvelable de recevoir la famille, les amis... En somme, on cultive les petits bonheurs.

«Tu cultives quoi?»

— Les petits bonheurs. Tu remarques, je n'ai pas dit: «Je les cueille» mais bien «je les cultive».

Ça ne se trouve pas par talles,
comme les petites fraises de mon enfance,
les petits bonheurs;
mais ça se goûte éperdument,
et ça rend la vie... adorable.

Louiselle Pelletier
Agricultrice

LISA MAUREEN BIRCH

3 RÉFLEXIONS SUR LA VALEUR ÉCONOMIQUE DU TRAVAIL DES FEMMES EN AGRICULTURE

Introduction

Chaque jour des milliers de Québécoises exercent dans l'ombre le métier d'agricultrice. Elles accomplissent une variété de tâches et assument des responsabilités importantes. De la comptabilité à la gestion, de la recherche d'information à l'innovation, de la production à la commercialisation, de l'entretien au nettoyage, elles sont omniprésentes au sein des entreprises agricoles. D'une étude à l'autre, les résultats confirment la contribution des femmes au développement agricole.(1)

Certaines études estiment même que la présence de la femme constitue un facteur de réussite des entreprises agricoles. Hiram Drache, un chercheur, a constaté que sur les fermes dynamiques et innovatrices, on retrouve des femmes actives et impliquées. Les femmes semblent plus conscientes des liens qui existent entre la rentabilité de l'entreprise et le niveau de vie de la famille. Désireuses d'assurer le succès de l'entreprise et le bonheur familial, elles cherchent à faire fructifier la ferme familiale.

La contribution des femmes au développement agricole se chiffre à partir des heures de travail qu'elles y consacrent, des fonds personnels qu'elles y investissent, et des autres revenus qu'elles y joignent. Pourtant, on n'ose pas comptabiliser cette contribution ; on persiste à déprécier son importance économique.

(1) (Wilkening 1981, Morisset & Ethier 1987, Sawyer 1974, Boulding 1980, Dion 1983, McIsaac 1983, Calvin & Rosenfeld 1981, Huffman 1976).

On la considère comme un apport rémunéré par «l'amour conjugal» et la «réussite du mari». Il s'agit donc d'une rémunération arbitraire, parfois même précaire, car elle est conditionnelle à la bonne volonté du mari et non pas à l'exercice des fonctions. Malgré qu'elle n'ait aucun statut reconnu, ni de terre attitrée, qu'elle ne détienne pas de pouvoir réel, la femme en agriculture est souvent appelée à subir les conséquences de l'endettement accru, du faible revenu, des investissements imprévus, et de l'ouvrage accumulé.

De plus en plus conscientes de leur contribution économique, de plus en plus insatisfaites de la non-reconnaissance de leur travail, des femmes en agriculture revendiquent un changement. Selon Claudette Arsenault-Landry, agricultrice de Nicolet,

«La femme veut pour elle et pour toute sa famille des conditions de travail qui soient telles que chacun puisse s'y sentir apprécié tout en gagnant sa vie d'une façon agréable et détendue. Cet objectif suppose: un moins grand endettement; des heures de travail réduites; une rémunération satisfaisante; la possibilité d'accomplir les tâches qu'on aime et pour lesquelles on se sent compétent; l'accès pour tous à des cours de perfectionnement connexes aux fonctions exercées sur la ferme; et la possibilité d'influencer le devenir de l'agriculture en participant activement aux organismes professionnels du milieu.»(1986)

Or, cet objectif louable ne peut se réaliser sans un partage équitable des tâches et, surtout, du pouvoir au sein des entreprises agricoles. La renégociation des pouvoirs et des responsabilités débute forcément par la valorisation économique du travail des femmes. Le but de cet article est donc de susciter des réflexions sur la valeur économique du travail des femmes en agriculture, les obstacles à son estimation, et les enjeux de sa reconnaissance.

OBSTACLES À LA VALORISATION ÉCONOMIQUE DU TRAVAIL DES FEMMES

Comment estimer la valeur économique du travail des femmes en agriculture? Voilà un véritable casse-tête d'une très grande complexité. Afin d'en mesurer la rentabilité économique, il faut disposer de données statistiques fiables. Or, dans le cas du travail agricole réalisé par les femmes, on se heurte à un obstacle de taille car les heures de travail des femmes en agriculture ne sont guère reflétées dans les statistiques officielles sur le secteur agricole; cela dépend d'une multitude de raisons reliées à la façon de cueillir les données, au problème de la définition du travail agricole, et à la non-reconnaissance officielle du travail des femmes dans le secteur lui-même. Lors des recensements agricoles, le travail des femmes au sein des entreprises demeure dans l'ombre. Les femmes sont souvent inscrites comme simple épouse, main-d'oeuvre familiale non rémunérée ou encore comme ouvrière ou professionnelle dans un autre secteur économique. Cette façon de caser les femmes au recensement déforme la réalité en sous-estimant leur travail au niveau de chaque entreprise et, par le fait même, leur contribution à l'économie rurale dans son ensemble. Les statistiques officielles ne rendent pas justice au rôle joué par les femmes en agriculture à titre de collaboratrice et de partenaire d'affaires.

Mis à part ce problème, la définition même du travail agricole pose des difficultés. La transition des fermes traditionnelles vers un statut de PME ajoute de nouvelles tâches à celles qui sont habituellement reconnues dans le secteur. Ces nouvelles tâches comme la tenue d'une comptabilité d'exercice, la planification, la gestion et la recherche d'information relèvent souvent des femmes. Comme Isabelle Ethier et Michel Morisset l'ont constaté dans leur étude sur les femmes en production laitière: « On ne discute pas de la nature agricole et nécessaire de la traite, du travail au champ, ou de la réparation de la machinerie. On se demande toutefois si la gestion, les achats, la formation doivent être comptés « en surplus » du travail directement productif ou plutôt être rémunérés grâce à l'efficacité accrue de ceux et de celles qui les pratiquent. »[2]

Au delà de la dimension technico-économique de ce débat, il existe une dimension socio-culturelle importante dans la mesure où les mentalités traditionnelles sont contestées. La mentalité qui prédomine en milieu agricole repose sur le patriarcat: le mari est « boss » et la femme est son « aide ». Ce rapport homme-femme con-

(2) (Morisset et Ethier, 1987, pp8-9)

duit à une définition du travail agricole selon les sexes. Lorsque l'homme trait les vaches, conduit le tracteur, ou consulte une revue agricole, il accomplit un travail agricole reconnu. Lorsque la femme effectue les mêmes travaux, on dit qu'elle «aide» son mari. Lorsqu'elle s'occupe de la comptabilité, de la gestion, et de la formation, on y voit tantôt un atout, tantôt une menace. Dans un monde où les assises du pouvoir traditionnel sont étroitement liées à la force physique et à la maîtrise de la technique de production, l'intégration de nouvelles tâches exigeant un travail intellectuel et la maîtrise de techniques administratives bouleverse l'ordre établi. Il est donc fort probable que la remise en question de la définition classique du travail agricole comporte des enjeux importants pour l'avenir de la division sexuelle du travail et la répartition du pouvoir au sein de la ferme familiale. La primauté de l'homme pourrait faire place à une nouvelle ère de complémentarité entre les hommes et les femmes en agriculture basée sur un véritable partage des tâches et du pouvoir. Mais comme les tâches se partagent avec beaucoup plus de facilité que le pouvoir, et la tradition semble plus sécurisante que le changement, bien des femmes éprouveront de la difficulté à s'identifier comme «agricultrice» et non pas «aide-mari», préférant une place tranquille dans l'ombre.

Présumons maintenant que le secteur agricole reconnaît la nature agricole et nécessaire des tâches nouvelles. De plus, imaginons que l'on considère la femme comme travailleuse au même titre que son conjoint, et non pas comme «aide». Dans un tel contexte, il serait plus facile d'évaluer le travail des femmes en agriculture. Mais il existe d'autres embûches reliées aux conditions de travail des femmes. Le calcul des heures consacrées par les femmes à l'activité agricole se complique parce que la vie familiale et celle de l'entreprise se chevauchent. Il arrive que la femme en agriculture vit la double tâche de façon simultanée, c'est-à-dire que dans une même journée elle peut facilement consacrer 14 heures aux travaux domestiques, incluant les soins aux enfants, tout en contribuant plusieurs heures à l'entreprise. Combien de femmes surveillent les enfants en faisant la traite ou en soignant les animaux? Combien de femmes traînent les enfants aux champs? Combien de décisions importantes sont prises à la table de cuisine, un enfant sur les genoux de sa maman? Combien de vendeurs d'intrants sont reçus à la maison par les femmes? Comme le travail d'entreprise est entremêlé aux responsabilités familiales, il devient parfois difficile de distinguer entre les deux, ce qui ne facilite guère le calcul des heures de travail agricole des femmes.

Supposons que l'on parvienne malgré tout à contourner cette complication, obtenant ainsi des données qui reflètent bien les heures de travail des femmes en agriculture selon la nature de la tâche accomplie. Comment procède-t-on pour déterminer la valeur économique de ce travail? Considérons, par exemple, une femme qui remplace son mari dans l'entreprise afin de lui permettre de participer à des activités de formation et de perfectionnement, ou encore celle qui consacre une part de son temps à sa propre formation. Quelle est sa contribution à la rentabilité de l'entreprise et à la productivité du secteur? Quelle est la contribution économique à l'entreprise et au secteur agricole de la femme qui travaille également en dehors de l'entreprise, apportant ainsi à la ferme une forme de financement direct et/ou indirect? Et que penser des investissements non rentables qui sont évités grâce aux objections convaincantes soulevées par les femmes?

L'ESTIMATION DE LA VALEUR ÉCONOMIQUE

Malgré les obstacles, certains chercheurs ont réussi tant bien que mal à estimer la valeur économique du travail des femmes en agriculture. Essentiellement, on retrouve trois façons d'évaluer le travail des femmes. La première repose sur le principe du coût de remplacement; la deuxième se base sur le principe du salaire équivalent; et la troisième fait appel à des concepts économiques comme le coût d'option et la productivité marginale du travail. Chaque méthode mène à une pondération différente de la valeur économique du travail des femmes. Regardons de près ces approches.

Coût de remplacement

Le coût de remplacement est le taux horaire que l'agriculteur serait obligé de verser à un employé salarié qui effectuerait les tâches normalement réalisées par sa conjointe. Afin de déterminer la valeur économique du travail des femmes en agriculture selon cette méthode, il faut obtenir les données statistiques sur le travail qu'elles accomplissent durant une journée moyenne, en tenant compte du nombre d'heures consacrées à chaque type d'activité. Ensuite, il faut établir le taux horaire moyen de rémunération d'un(e) travailleur(euse) spécialisé(e) dans chaque type d'activité. Finalement, on multiplie le nombre d'heures consacrées à chaque activité par le coût de remplacement, on fait la somme et on multiplie par 52 semaines pour arriver à la valeur économique du travail de la femme en agriculture sous forme de salaire potentiel. Les études de ce type tiennent compte des heures consacrées aux tâches suivantes : les travaux ménagers, les soins aux enfants, l'entretien des bâtiments, le travail au champ comme à l'étable et les activités commerciales incluant la gestion. Certaines études considèrent également le travail communautaire et le travail à l'extérieur. Le tableau 1 compare les résultats de deux études canadiennes ayant utilisé cette méthode. Afin de rendre les études comparables, on a refait des calculs à partir des données fournies en éliminant les heures consacrées au bénévolat dans le cas de l'Ontario et les heures de travail à l'extérieur dans celui du Manitoba.

TABLEAU 1

LA VALEUR ÉCONOMIQUE DU TRAVAIL DES FEMMES EN AGRICULTURE SELON LE PRINCIPE DE COÛT DE REMPLACEMENT(3)

	Province	
	Ontario	**Manitoba**
Moyenne d'heures/journée	18,8	11,3
Coût de remplacement moyen($/jour)	115,35	102,79
Salaire annuel potentiel*	42,000$	37,518$

* Salaire annuel potentiel = coût de remplacement moyen x 365 jours.

(3) Contrairement aux études, cette estimation ne tient compte ni des congés ni du temps supplémentaire du samedi et du dimanche. Sources : Manitoba Cooperator, «Le prix d'une agricultrice» dans La Terre de chez nous, 22 janvier 1987. et Susan Watkins, Quelle est votre valeur? Agriculture Canada, octobre 1985.

En faisant abstraction du fonctionnement du système économique, tant dans le secteur agricole que sur le marché du travail, cette approche affiche certaines lacunes. D'abord, dans le secteur agricole, le revenu net agricole moyen est très modeste. Le recensement agricole de 1981 révèle que la moyenne du revenu net des fermes au Québec se situait à 7 864$[4]

La situation dans les autres provinces n'est guère plus reluisante. Les salaires dans le secteur agricole tendent à être moins élevés que ceux qui prévalent dans les autres secteurs économiques. Ainsi, par rapport à l'économie rurale, une estimation de la valeur économique du travail des femmes en agriculture qui ce chiffre à 42,000$ par femme par année peut paraître trop élevé. Combien d'agriculteurs et combien de salariés agricoles gagnent un tel salaire? Quelle sera la valeur économique de l'agriculteur moyen calculée selon le principe du coût de remplacement? Sous un autre angle, la structure du marché du travail est telle qu'il serait quasi impossible pour la femme en agriculture d'exécuter les mêmes tâches et de travailler le même nombre d'heures. La spécialisation du travail, les horaires de travail basés sur le principe d'une semaine de 35 à 40 heures, et la séparation claire du lieu de travail et du foyer l'en empêcheraient. Sur le marché du travail, on est soit ménagère, soit ouvrière ou bien professionnelle. Ainsi, il semble plutôt simpliste d'affirmer que si la femme en agriculture était rémunérée au taux du salaire moyen du secteur commercial ou industriel correspondant à chaque tâche accomplie, son salaire annuel potentiel serait de 42,000$. De plus, une telle approche semble accorder à la femme en agriculture le statut d'un ouvrier agricole et non pas celui d'une partenaire dans une entreprise, dans laquelle elle partage les risques, les profits et les pertes.

Le principe du salaire équivalent

La deuxième approche évoque le principe du salaire équivalent qui est actuellement utilisé par la Fédération des producteurs de lait au niveau du calcul des coûts de production dans le secteur laitier québécois. Essentiellement, ce principe veut que le travail de l'agriculteur soit rémunéré à un taux horaire équiva-

---

(4) (Trottier, 1984, p. 108).

lent au taux horaire moyen reçu par un ouvrier spécialisé dans le secteur industriel et que la main-d'oeuvre familiale soit rémunérée au même taux qu'un ouvrier salarié. La Fédération se réfère aux publications de Statistique Canada à partir desquelles elle peut obtenir le taux horaire moyen équivalent. Lors des dernières audiences tenues par la Régie des marchés agricoles sur le prix du lait, la Fédération des producteurs de lait a calculé un taux horaire de 14,60$ pour l'exploitant et 5,44$ pour la main-d'oeuvre familiale; l'écart est de 9,16$. Suivant cette logique, la rémunération d'une femme en production laitière qui consacre en moyenne 20 heures par semaine à l'activité agricole serait d'au moins 5657,60$ par an. L'écart salarial entre les exploitants laitiers et leurs conjointes illustre très bien à quel point le travail des femmes en production laitière est peu reconnu et peu valorisé par la société. Bien que la Fédération des producteurs de lait semble reconnaître une forme de discrimination salariale, sa volonté de remédier à cette injustice est tempérée par des considérations politico-économiques parce que la Fédération joue sur la rémunération du travail et du capital lorsqu'elle négocie le prix du lait.

L'approche économique classique

La troisième approche ne vise pas nécessairement une estimation du taux auquel on devrait rémunérer le travail des femmes en agriculture. Elle cherche plutôt à estimer la valeur productive du travail des femmes en agriculture en s'inspirant de la théorie économique. Cette approche utilise deux concepts économiques classiques: le coût d'option et la productivité marginale du travail. Dans le cas d'une femme en agriculture, le coût d'option représente la différence entre la valeur productive de son travail agricole et le salaire qu'elle toucherait dans un autre secteur. La rémunération du travail reflète la valeur productive du travail dans le cas d'un salarié. Mais, lorsqu'il s'agit de la main-d'oeuvre non rémunérée, comme le travail des femmes en agriculture, il faut estimer la productivité marginale de ce travail: c'est-à-dire que l'on évalue l'impact d'une augmentation ou d'une diminution du travail des femmes sur la production agricole à la marge. La productivité marginale du travail fournit un indice du sens et de l'ampleur d'une variation de la production agricole suite à une variation au niveau du travail. Par le fait même, elle implique la valeur productive de ce travail, car le produit marginal correspond à un revenu marginal (la valeur de la production additionnelle) et à un coût marginal (le coût du travail additionnel).

Cette approche relève de la science économique pure et exige des techniques d'analyse plus sophistiquées. Malheureusement, peu d'économistes se sont intéressés à la valeur économique du travail des femmes en agriculture. L'économiste Wallace E. Huffman a employé cette approche en analysant la valeur productive du travail des femmes en agriculture dans l'Iowa, la Caroline du Nord et l'Oklahoma à partir des données du recensement américain de 1964. Les résultats de l'étude lui ont permis de conclure que la femme avait deux choix en ce qui concerne l'allocation de son temps : augmenter le nombre d'heures consacrées aux activités agricoles ou augmenter le nombre d'heures travaillées ailleurs qu'à la ferme. Dans le premier cas, en se substituant à la main-d'oeuvre salariée, elle contribuerait à la minimisation des coûts de production. Dans le deuxième cas, elle assurerait la sécurité du revenu pour la ferme familiale. L'étude révèle que le revenu de la ferme familiale aurait été plus élevé si les femmes avaient choisi de travailler en dehors de l'entreprise. Selon cette étude, la contribution des femmes en agriculture à l'économie rurale est directe lorsqu'elles aident à minimiser les coûts de production et indirecte lorsqu'elles apportent un revenu supplémentaire à l'entreprise. L'étude réalisée par William Sander, économiste, à partir des données de 1980 à 1982, affirme que les femmes en agriculture aux États-Unis contribuent de façon significative à la stabilisation du revenu de la ferme familiale grâce à leur travail agricole, leur travail non agricole, et leurs activités de production et de transformation des aliments destinés à l'autoconsommation.(5)

- Cet auteur a reconnu la valeur économique des activités de jardinage et de conservation des aliments. Bien que les résultats de ce genre d'étude soient limités dans leur por-

---

(5) Sander, William, « Farm Women and Work » dans Home Economics Research Journal, septembre 1986 vol 15, no 1.

tée par la fiabilité des données statistiques sur le travail des femmes en agriculture, il serait pertinent de refaire les mêmes analyses à partir des données québécoises. Parmi les trois approches décrites ici, l'approche la moins satisfaisante est celle du coût de remplacement tandis que l'approche économique classique est la plus scientifique.

Du point de vue purement pragmatique, le principe du salaire équivalent demeure l'approche la plus accessible et la plus logique à condition que l'on accepte le principe de l'égalité économique entre co-exploitants et co-exploitantes, c'est-à-dire qu'il faut déterminer le taux de rémunération du travail, sans égard au sexe. Reprenons l'exemple du calcul des coûts de production de lait. En appliquant le principe de l'égalité économique, une co-exploitante qui consacre en moyenne 20 heures par semaine aux activités agricoles vaudrait 15 184$ par année (20 heures x 52 semaines x 14,60$) plus sa part des profits générés par l'activité agricole selon ses investissements passés dans l'entreprise et sa capacité de gestion. Étant donné que la société a déjà accepté le principe du salaire équivalent pour les agriculteurs, pourquoi ne la reconnaîtrait-elle pas pour les agricultrices?

LES ENJEUX DE LA RECONNAISSANCE ÉCONOMIQUE

Estimer la valeur économique du travail des femmes, c'est une chose. La faire reconnaître par la société, c'est une autre histoire. La reconnaissance de la contribution économique des femmes en agriculture implique forcément la rétribution d'une main-d'oeuvre jusqu'alors non rémunérée. Au-delà des questions d'argent, on peut se demander à quel point le choix de reconnaître ou non la valeur économique du travail des femmes n'est pas aussi un choix de société entre la ferme familiale et la ferme industrielle.

Si la société choisissait de reconnaître le travail des femmes en agriculture à sa juste valeur, que serait le visage de l'agriculture de demain? Le discours des femmes en agriculture au Québec s'articule autour des grands thèmes suivants: la rentabilité économique, la sécurité et la stabilité des revenus, la qualité de la vie, et la survie de la ferme familiale. Les femmes en agriculture parlent de rentabiliser l'agriculture, entre autres choses, en évitant de se créer de « faux besoins » et en apprivoisant les nouvelles technologies. Elles désirent « vivre et non pas survivre » en agriculture sur des fermes familiales de dimension humaine où la qualité de la vie et le respect de l'environnement sont à l'ordre du jour.[(6)]

À la lumière de ce discours, l'agriculture de demain deviendrait une sorte de PME familiale et rentable. La rentabilité de l'activité agricole et l'augmentation du niveau de vie viendraient possiblement de l'amélioration des techniques de gestion et de l'accroissement des investissements en formation professionnelle au sein des entreprises agricoles. Les femmes occuperaient une place plus importante tant au niveau des entreprises qu'au sein des organismes agricoles. Une éventuelle hausse des prix à la ferme, particulièrement dans le cas des marchés contingentés, pourrait également accompagner cette orientation si les principes du salaire équivalent et de l'égalité économique étaient acceptés.

Si, par contre, la société décidait de ne pas le reconnaître, elle devrait se résigner à un éventuel exode rural féminin, ce qui pourrait entraîner une baisse de la rentabilité et de la productivité des fermes familiales. Et il est tout à fait plausible de penser que la femme en agriculture de demain préfère un emploi extérieur rémunéré au bénévolat sur une entreprise agricole, et, de plus, la main-d'oeuvre agricole spécialisée n'étant pas abondante, il est fort probable que les agriculteurs chercheraient à substituer la machinerie au travail des femmes. Une telle substitution entraînerait l'accroissement de la taille des exploitations par la logique des économies d'échelle car il faut un certain volume de production pour justifier des investissements plus importants en machinerie. L'agriculture de demain prendrait l'aspect d'une grande entreprise industrielle dans les mains de laquelle seraient concentrés la production agricole et le pouvoir économique. On pourrait donc s'attendre à de nouvelles distortions dans les marchés agricoles. Certains croient toutefois que les fermes industrielles seraient capables de nourrir le monde à meilleur marché.

---

(6) (Morisset & LeBeau, éditeurs, 1988).

Les enjeux de la reconnaissance économique du travail des femmes sont donc très importants pour le développement futur du secteur agricole. C'est une question qui déborde le cadre d'une simple revendication de justice sociale et économique envers les femmes. C'est une question de choix de société entre la ferme familiale moderne et l'entreprise industrielle.

CONCLUSION

Le Québec semble avoir bien compris ces enjeux. En contribuant à l'avancement de la cause des femmes en agriculture, le ministère de l'Agriculture, des Pêcheries et de l'Alimentation du Québec reconnaît leur contribution économique au développement agricole. En facilitant l'accès des femmes à la propriété et à la formation professionnelle, le MAPAQ reconnaît le potentiel des femmes en tant qu'agentes de changement dans le secteur agricole. En choisissant cette voie, le MAPAQ privilégie la ferme familiale moderne et rentable comme mode de production. La contribution économique des femmes en agriculture sera d'abord récompensée par l'accès à la propriété et, ensuite, par le partage des profits générés par l'entreprise.

Malgré cette volonté politique, la valeur économique du travail des femmes en agriculture demeure sous-estimée pour une foule de raisons que nous venons de voir. D'abord, on manque de données précises sur le travail accompli par les femmes à cause de la nature même de ce travail et de la difficulté à le définir. Les femmes contribuent directement et indirectement à la production agricole tout en remplissant leurs responsabilités familiales. La réalité de la double et parfois triple tâche des femmes en agriculture porte à confusion tant pour les femmes elles-mêmes que pour les observateurs. Le débat entourant la définition du travail agricole embrouille davantage la situation et remet en question la division sexuelle du travail ainsi que les assises du pouvoir traditionnel dans le secteur. La résistance au changement, provenant autant des hommes que des femmes pour qui les habitudes se portent comme de vieux souliers, perpétue l'ordre établi selon lequel l'homme travaille tandis que sa femme l'aide, et l'homme prend les décisions, ensuite sa femme les entérine (et parfois les subit) par amour conjugal. Certains reconnaissent le travail des femmes mais à un taux horaire bien inférieur à celui des hommes tandis que d'autres rêvent de l'égalité économique. Dans un tel contexte, il est très difficile de bien estimer la valeur économique du travail des femmes en agriculture. Néanmoins, on peut espérer qu'au fur et à mesure que les mentalités évoluent, les obstacles à la reconnaissance du travail des femmes en agriculture au Québec s'effriteront de sorte qu'il deviendra possible d'évaluer leur contribution économique à sa juste valeur.

Lisa Maureen Birch
Agricultrice et économiste rurale

BIBLIOGRAPHIE

Arseneault-Landry, Claudette, L'apport des femmes en agriculture, conférence présentée à Drummondville, février 1986.

Agricultrice Gestionnaire, (Québec:MAPAQ 1987)

Berenbeim, Ronald E., From Owner to Professional Management: Problems in Transition (New York: The Conference Board Inc., 1984)

Boulding, Elise, « The Labour of US Farm Women: A Knowledge Gap » dans Sociology of work and Occupation, vol 7 no 8, August 1980.

Buttel, Frederick H. et Gilbert W. Gillespie Jr., « The Sexual Division of Farm Household Labour: An Exploratory Study of the Structure of On Farm and Off Farm Labour Allocation among Farm Men and Women » dans Rural Sociology 49(7) 1984, pp 183-209

Danco, Léon A., Inside the Family Business, (Cleveland: The University Press, 1983)

Dion, Suzanne, Les Femmes dans l'agriculture au Québec, (Longueuil: Les Éditions de La Terre de chez nous, 1983)

Drache, Hiram M., « Women in Agriculture », dans Sheep and Goat Handbook Vol. 11, 1980, pp32-35.

Farm Women, women's Division, Saskatchewan Department of Labour, 1977.

Gibb-Dyer, W., Cultural Change in Family Firms: Anticipating and Managing Business and Family Transitions, (San Francisco: Jossey-Bass Publishers, 1986).

Hill, Francis, «Farm Women: Challenge to Schoolarship», The Rural Sociologist, vol 1 no. 6, pp 370-382

Hoffman, Wallace E., «The Value of Productive Time of Farm Wives: Iowa, North Carolina and Oklahoma», American Journal of Agricultural Economics, vol 58, no 5, 1976, pp 836-841.

Jones, Calvin et Rachel A. Rosenfeld, American Farm Women: Findings from a National Survey, (National Opinion Research Centre 1981)

Lebeau, Serge et Michel Morisset, éditeurs, Changer l'agriculture ou s'intégrer, Actes du Colloque des femmes en agriculture, (Québec:GREPA, 1988).

McIsaac, Leona Marie, The Role of women in the Operation of Family Farms in Prince Edward Island, mémoire de maîtrise, Université de Guelph 1983.

Muzzi, Patrick et Michel Morisset, Les Facteurs de réussite ou d'échec de l'établissement en agriculture au Québec (Québec: GREPA Université Laval, 1987)

Morisset, Michel et Isabelle Ethier, Le travail des femmes en production laitière. (Québec: GREPA, 1987).

Plan d'action triennal 1987-1990, Bureau de la Répondante à la condition féminine, MAPAQ.

Sander, William, «Farm Women and Work» dans Home Economics Research Journal, septembre 1986 vol 15, no 1

Sawyer, Barbara, The Role of the Wife in Farm Decision, (Vancouver: University of British Colombia, 1974)

Stead, Bette Anne, éditrice, Women in Management, (Englewood Cliffs: Prentice-Hall Inc., 1978)

Trottier, Mariette, La situation économique des productrices agricoles au Québec, mémoire de maîtrise, Université du Québec à Montréal, 1984.

Wahyuni, Sri, H.C. Knipscheer et M. Gaylord, «Women's Decision-making Role in Small-ruminant Production: The Conflicting Views of Husbands and Wives», Agricultural Administration & Extension, 1987, pp 91-98.

Watkins, Suzanne, Quelle est votre valeur? (Agriculture Canada 1985)

Wilkening, Eugène A., « Farm Families and Family Farming » dans R.T. Coward et W.M. Smith Jr., éditeurs, The Family in Rural Society (Boulder, Colorado: Westview Press, 1981)

LUCIE CADIEUX

4 DEMAIN...

«Je me demande bien ce qui m'attend... Je vous avouerai que j'ai un peu peur! Ici c'est tout chaud et tout calme. J'ai cru comprendre que je naîtrais au beau milieu d'une famille agricole. C'est grand-maman qui me l'a dit lorsque j'ai traversé le temps. Comme je ne dois pas sortir avant deux mois, laissez-moi vous raconter.

Elle aussi a vécu et travaillé en agriculture. J'aime bien lorsqu'elle me raconte sa vie. Elle devait s'occuper de la famille, neuf enfants, son mari et ses beaux-parents. Lorsque mon grand-père et son père allaient bûcher, Elmire (c'est ma grand-mère) devait bien entendu faire la traite des onze vaches, nourrir les chevaux et les cochons, laver les oeufs, faire les catalognes pour tenir la famille bien au chaud et économiser quelques sous pour acheter le sucre et la «fleur». Quand le printemps se pointait le bout du nez, elle assistait les vaches et les juments pour la mise bas. Elle préparait et planifiait les semis pour son potager et elle devait souvent prêter main forte aux semailles. Elmire m'a dit participer aussi à la récolte et elle m'a expliqué comment on faisait boucherie en ces temps-là. Bien sûr, on prenait le temps de souffler un peu et le dimanche, toute la famille se réunissait. On prenait le temps de vivre et de placoter un brin.

Je me demande si tout ça a bien changé! Maman consacre elle aussi beaucoup de temps à l'agriculture et tout comme c'était le cas pour grand-maman, c'est papa qui est le seul propriétaire de l'entreprise agricole. De même que grand-mère, maman a des journées bien remplies: au saut du lit, elle va à l'étable pour aider à la traite et soigner les veaux, elle revient à la maison pour préparer mes frères pour l'école et les faire déjeuner. Une fois que les gars ont pris l'autobus scolaire, elle retourne faire le ménage de la laiterie. Dans l'après-midi, il faut faire quelques courses, soit pour la maison, soit pour la ferme. Si c'est l'été, maman conduit le tracteur pour les semis et les récoltes et elle ramasse aussi de la roche (ouach!!!). Avant le retour des enfants, maman fait la comptabilité-gestion de la ferme. Elle aime bien tenir la comptabilité, cela lui permet de suivre l'évolution de l'entreprise et de planifier en parfaite connaissance de cause. Elle est aussi en mesure d'aider et d'appuyer papa dans les décisions qu'il doit prendre. Soit dit en passant, mon petit doigt me dit que maman en connaît peut-être un peu plus long que papa en ce qui concerne la gestion d'une entreprise agricole, mais ensemble ils font une excellente équipe.

À vous, je peux bien en parler! Il se passe de drôles de choses dans la maison depuis quelques semaines. Il y a un petit bout de temps que maman désire devenir propriétaire de l'entreprise au même titre que papa. Elle souhaite ainsi qu'il reconnaisse officiellement tout le travail qu'elle accomplit sur la ferme et tous les efforts et énergies qu'elle y a mis pour faire de la ferme ce qu'elle est aujourd'hui. Lors des dernières discussions sur le sujet, papa ne se disait pas encore tout à fait prêt mentalement à se départir d'une partie de l'entreprise et surtout, je crois qu'il avait peur de ce que cela pourrait avoir comme conséquences dans sa vie de couple et dans sa manière d'administrer l'entreprise agricole. Il y a une quinzaine de jours, papa a offert à maman de former une société dans laquelle elle posséderait 20% des parts de l'entreprise, ceci permettant d'intégrer maman à l'entreprise et de pouvoir, par ailleurs aller obtenir un financement de 200 000$ de l'Office du crédit agricole du Québec ainsi qu'une prime à l'établissement de 15 000$. Imaginez, que maman hésite à donner son accord pour le projet de société. J'ai l'impression qu'elle est fachée parce qu'elle croit que papa lui fait cette offre uniquement dans le but d'obtenir un meilleur financement et une subvention et qu'en plus, elle désirait posséder 50% de l'entreprise et non pas 20% seulement. Les choses se corsent, ça risque de devenir très intéressant.

PHOTO: JUDITH CRAWLEY

Réfléchissez bien vous deux! C'est un peu mon avenir qui se dessine par le biais de telles décisions. C'est vrai quoi! Ensemble, ils orientent l'agriculture de demain et me préparent le chemin.

Tiens, tiens, j'assiste présentement à une très belle discussion entre mes parents. Pour une des rares fois, papa verbalise ses sentiments et fait part à maman de ses craintes face à une telle association. Il craint qu'une fois que maman aura acquis une certaine autonomie financière, elle le laisse tomber pour refaire sa vie ailleurs. Maman, pour sa part, est convaincue que son accès à la propriété ne changera pas grand-chose à la gestion de l'entreprise. Elle fait voir à papa qu'avant elle participait pleinement aux discussions concernant toutes les décisions et qu'elle pouvait les influencer. Maintenant elle pourra effectivement prendre des décisions mais toujours après discussions et consensus, sans rien changer à ce qui se fait présentement. Elle déclare aussi qu'elle désire avoir plus de responsabilités dans l'entreprise. Elle veut instaurer un système de gestion plus poussé, particulièrement la gestion du temps et des ressources humaines. Elle veut s'impliquer aussi dans le syndicat de base de l'UPA et suivre des cours en gestion de l'entreprise agricole. Pour cela, elle fait prendre conscience à papa qu'il devrait participer lui aussi d'une façon plus régulière aux tâches ménagères. Enfin tout le monde devra mettre un peu du sien pour faciliter son accession à la propriété. En fait, pour elle, devenir agricultrice c'est non seulement en prendre le nom mais c'est aussi en prendre les responsabilités. Ça fait du bien de faire un bilan relationnel et d'être à l'écoute de l'autre, ça cimente les liens et ça travaille tellement mieux après.

Maman vient de soumettre une nouvelle idée, je crois bien que c'est une idée de génie...

Elle accepte la proposition de papa. Elle deviendra copropriétaire et co-gestionnaire de l'entreprise pour 20% des parts mais elle fondera en parallèle sa propre entreprise agricole. Une entreprise à ressources minimales c'est-à-dire qu'elle louera de papa le vieux poulailler qu'elle rénovera avec sa subvention d'établissement; elle fera faire les principaux travaux à forfait avec la machinerie de papa et elle y élèvera des cailles et des faisans. Le tout se fera sur une base d'un contrat de location des bâtiments et machinerie en contrepartie du temps que maman investira dans l'entreprise agricole conjointe. Papa semble un peu réticent, mais maman lui a présenté ses budgets prévisionnels ainsi que l'évolution de ses besoins monétaires pour les cinq prochaines années. Tout cela a fini par sécuriser mon père mais je crois bien que c'est l'enthousiasme contagieux de maman qui a fini par faire pencher la balance en sa faveur.

Un sentiment de fierté coule tout doucement dans mes veines. Maman a enfin réalisé deux projets qui lui tenaient particulièrement à coeur et papa a réalisé que les aspirations de maman étaient tout à fait légitimes.

Le temps approche à grands pas, je devrai bientôt faire mon entrée dans le monde. Pour passer le temps, il me plaît d'imaginer comment se vivra l'agriculture de l'an 2000. J'aimerais bien que les femmes prennent toute la place qui leur revient tant au point de vue de la reconnaissance du travail qu'elles ont effectué en agriculture depuis des siècles qu'au point de vue de la reconnaissance financière. Je souhaite que les hommes et les femmes construisent ensemble une agriculture où seront véhiculées des valeurs sûres comme la ferme familiale, la qualité de vie, l'environnement et que ceux et celles qui désirent en vivre puissent le faire en toute quiétude. Il faudra mettre en place des modes de transmission des fermes autres que ceux que nous connaissons actuellement. Il faudra éviter à tout prix que les femmes aient à donner leurs parts ou actions lors de l'intégration d'un enfant dans l'entreprise familiale. Peut-être qu'une augmentation des fermes à ressources minimales aidera à l'intégration graduelle de la relève ou des femmes en agriculture. Plus j'y pense et plus je veux devenir un enfant de l'agriculture de demain. Attendez-moi j'arrive ! »

Le 10 octobre 1988, bébé Alexandre voyait le jour...

Lucie Cadieux
Agricultrice et agronome

DEUXIÈME PARTIE :

L'ACCÈS

MARIE-ANNE RAINVILLE

1 MONIQUE BERNARD... LE POUVOIR PAR CONCENSUS

Chez Monique Bernard, avicultrice, on a fait la récolte de blé la veille de la catastrophe écologique à Saint-Basile-le-Grand (1988). « Le petit Jésus nous a aimés. Comme on peut être vulnérable... en l'espace d'une nuit. »

Après neuf ans comme locataires sur une ferme du Mont-Saint-Hilaire, en 1969, son mari l'a achetée. « Donc au plan légal, ce n'était pas ma ferme. En 1978, Claude, mon mari, a fondé une compagnie pour être capable de partager les revenus et, plus particulièrement, de me donner des actions, une au départ, et un salaire. En cours de route j'en ai renégocié quarante-neuf autres, ce qui fait qu'on est cinquante-cinquante! C'est pas facile d'aller chercher une reconnaissance, il faut prendre son temps, sans reculer. Prendre le temps, c'est lancer ton message et le laisser mûrir. »

Ensemble, ils apprennent la gestion consensuelle du pouvoir. « Malgré tout, on n'a jamais eu un conflit grave. La propriété a donné du poids à ma parole. Mon mari a appris à dire: «J'exploite conjointement avec ma femme une ferme avicole! »

Madame Bernard, présidente-fondatrice de l'Association des femmes collaboratrices, souligne avec fierté à quel point ce mouvement a fait connaître la situation des femmes en agriculture et apprécier l'ampleur du travail qu'elles y investissent.

Madame Bernard, à l'instar de près de quarante mille autres femmes établies dans les entreprises agricoles québécoises, a commencé à laver des oeufs à la main... le lendemain de son voyage de noces. Pendant les vingt ans qui ont suivi, elle a lavé, classé et vendu des oeufs, élevé trois enfants et tenu un kiosque de vente au détail des produits de son potager.

Pourtant, 1986 allait être une année d'émotions...«Une maudite année.» Cette femme forte et belle perdait son fils adoptif. En six ans et demi, il avait vécu sept transferts d'un foyer nourricier à un autre avant de prendre la douce pente de leur montagne. «Peut-on prendre un arbre, le déraciner sept fois et le voir solide après? Il est mort d'une overdose.»

Silence. Repliée sur elle-même, elle rebondit tout sourire. Elle reprend la généalogie de la naissance, puis du développement du mouvement des femmes collaboratrices. Sa mémoire fabuleuse a retenu toutes les dates, tous les lieux, tous les noms des comités. Tantôt présente, tantôt absente, elle a suivi pas à pas l'évolution de leur révolution tranquille. Aujourd'hui, elle fait dans le syndicalisme agricole à titre de présidente de son syndicat de base à l'Union des producteurs agricoles. Une présidente et une agricultrice d'expérience, puisqu'elle a fait son premier fauchage en duo à l'âge de sept ans. Elle souhaite, à cinquante-deux ans, être encore sur leur ferme pour dix ans!

Marie-Anne Rainville, été 1988.
Conseillère en communications

JOËLLE CHABOT
RÉJEAN VALLERAND

2 QUELQUES ASPECTS LÉGAUX DE L'ACCÈS À LA PROPRIÉTÉ DE L'ENTREPRISE PAR L'AGRICULTRICE

INTRODUCTION

Le but du présent chapitre consiste essentiellement à fournir à toute femme désireuse de s'établir en agriculture, seule ou avec d'autres personnes, certaines informations à caractère légal qui pourront l'éclairer dans sa démarche.

Tout d'abord, on y retrouve les principales mesures législatives et gouvernementales qui ont été adoptées au cours des dernières années pour faciliter et favoriser l'établissement des femmes en agriculture.

Ensuite, nous présentons les cadres juridiques permettant d'accéder à la propriété de l'entreprise ainsi que les principales dispositions fiscales concernant le transfert de propriété.

Enfin, nous voyons certaines dispositions spécifiques applicables lors de la rupture d'union tant pour les couples mariés que ceux vivant en union de fait.

LES MESURES FACILITANT L'ÉTABLISSEMENT EN AGRICULTURE

Les mesures législatives

Administrée par l'Office du crédit agricole, la **Loi sur le financement agricole**[1], entrée en vigueur le 11 août 1988, prévoit deux types de subventions à l'établissement en faveur des agricultrices et des agriculteurs. Il peut s'agir d'une subvention

---

(1) Loi sur le financement agricole (L.R.Q., c. F-1.2)

de capital de 15 000$ pour un individu, subvention qui peut atteindre quatre fois ce montant dans le cas d'une exploitation de groupe. Cette subvention doit être utilisée notamment pour la mise en valeur du fonds de terre, la construction et l'amélioration des bâtiments de ferme, l'achat additionnel de machinerie ou d'équipements agricoles, d'animaux reproducteurs ou de quota de production. Elle peut aussi servir au remboursement des intérêts sur le prêt agricole jusqu'à concurrence de la somme de 15 000$. Il peut s'agir également d'une subvention applicable à l'intérêt, et payable durant une période de cinq ans sur une portion du prêt n'excédant pas 50 000$.

Les principales conditions d'admissibilité à l'une ou l'autre de ces subventions sont les suivantes :

- être âgé de 18 à 40 ans et être domicilié au Québec ;
- posséder une expérience agricole pertinente d'au moins un an et le niveau de formation académique requis par règlement ;
- ne pas avoir déjà bénéficié d'une aide financière en vertu de dispositions législatives favorisant l'établissement ni avoir fait bénéficier une exploitation de groupe ;
- dans le cas d'une exploitation de groupe, un des membres de ce groupe doit détenir une participation minimale de 20% dans l'entreprise agricole.

Il est important de signaler que depuis août 1986, la disposition discriminatoire à l'égard des couples mariés concernant la subvention en capital a été abolie. En effet, auparavant, une seule subvention de 15 000$ pouvait être accordée par couple. De telles mesures facilitent et favorisent l'accès à la propriété de l'entreprise pour les agricultrices. Depuis 1986, 3 961 femmes ont bénéficié de cette subvention pour un montant total de 59,415 millions de dollars.

Les mesures gouvernementales

L'aide financière ne suffit pas en soi à l'agricultrice qui désire s'établir. À cet effet, diverses mesures gouvernementales ont aussi été mises sur pied par le ministère de l'Agriculture, des Pêcheries et de l'Alimentation du Québec (MAPAQ).

PHOTO : GRACIEUSETÉ DU MAPAQ

Lancé le 13 mars 1987, le « Guide d'établissement et de gestion pour les agricultrices » comprenait six brochures sur un total de douze. La septième, intitulée « Gérer ensemble » a été diffusée en novembre 1988. Elle était accompagnée du document appelé « Mémoire action ».

En vertu du programme « Promotion de la formation agricole », en vigueur depuis 1987, le Ministère offre aussi une aide financière permettant à l'agricultrice ou à l'agriculteur de préparer son dossier d'établissement, d'obtenir une formation spécialisée en agriculture et de recourir à certains services professionnels au moment de l'établissement. Le MAPAQ accorde également une aide financière pour favoriser le retour aux études de l'épouse ou de la conjointe de fait d'un producteur agricole. En accord avec le plan d'action en matière de condition féminine, ce programme comporte des incitatifs à l'accès à la propriété et à la formation agricole pour les femmes.

Le 10 décembre 1990 entrait en vigueur le programme « Accès à la propriété pour les conjointes et conjoints de 40 ans et plus » élaboré par le MAPAQ. Ce programme prévoit le versement d'une subvention de 5 000$ à l'agricultrice qui ne détient aucun titre de propriété dans l'entreprise où elle travaille depuis plusieurs années. Le gouvernement du Québec alloue un budget de 6,4 millions de dollars étalé sur une période de trois ans. Ainsi, 1 280 agricultrices de 40 ans et plus pourront s'en prévaloir. Ce programme est un moyen privilégié pour garantir, non seulement une reconnaissance professionnelle et juridique du travail des agricultrices, mais également leur assurer une sécurité économique.

Par ailleurs, en novembre 1989, la Fédération des agricultrices, supportée financièrement par le MAPAQ, publiait une brochure intitulée « Incidences fiscales du partage d'actif entre conjoints et durant la coexploitation ». Cette brochure fournit des éléments d'information permettant un choix judicieux du statut juridique de l'entreprise agricole. Ce document est un atout pour l'agricultrice qui désire voir reconnaître l'apport économique de son travail dans l'entreprise.

LES FORMES JURIDIQUES DE L'ORGANISATION DE L'ENTREPRISE

L'accès à la propriété pour les agricultrices peut se traduire par l'acquisition des actifs de l'exploitation, seule ou en copropriété ou par une participation dans une société ou une compagnie. Afin de bien comprendre les effets de chaque type d'organisation d'entreprise, nous exposons le cadre juridique qui régit chacune d'elles.

- **La propriété unique**

L'agricultrice peut décider d'exploiter l'entreprise agricole personnellement à titre de propriétaire unique. Dans ce cas, elle possède la totalité de l'actif et perçoit les revenus générés par l'entreprise. Toutefois, elle en assume l'entière responsabilité financière et administrative.

La propriétaire unique peut, par ailleurs, employer d'autres personnes contre rémunération pour l'aider à rentabiliser son entreprise.

En 1991, on compte plus de 2 053 agricultrices propriétaires uniques.

- **La copropriété**

La détention par deux ou plusieurs personnes d'un titre de propriété sur un même bien se nomme la copropriété indivise. Elle peut être établie lors de l'acquisition de l'entreprise. Le propriétaire unique peut aussi transférer une partie de ses droits dans l'entreprise en faveur d'une ou de plusieurs autres personnes.

Pour bien définir les droits et les obligations respectifs, et établir la part de chacun des copropriétaires, il est souhaitable de conclure une convention d'indivision prévoyant, entres autres ce qu'il advient de l'entreprise lors du décès ou de la faillite de l'un des copropriétaires, ou du divorce de ceux-ci, s'ils sont mariés.

Sous cette forme juridique de propriété, les copropriétaires assument la responsabilité administrative et financière de l'entreprise en proportion des parts détenues, ou selon les dispositions de la convention écrite.

- **La société**

L'agricultrice peut aussi accéder à la propriété de l'entreprise agricole en devenant associée dans celle-ci. L'exploitation d'une entreprise agricole en société présuppose que deux ou plusieurs personnes conviennent de mettre en commun soit des biens, de l'argent ou leur compétence en vue d'en retirer un bénéfice.

Le statut d'associée permet à l'agricultrice de participer aux décisions de l'entreprise et d'en retirer des profits en proportion des parts qu'elle détient. À moins de stipulation contraire dans le contrat de société, le Code civil prévoit que les décisions se prennent à l'unanimité.

Cette participation dans le bénéfice entraîne, par contre, l'obligation aux dettes. L'associée doit assumer sa part dans les pertes de la société.

En 1991, pas moins de 5 561 femmes faisaient partie d'une telle société au Québec.

- **La compagnie**

L'accès à la propriété peut aussi s'effectuer par le biais d'une compagnie. Sa création nécessite l'accomplissement de formalités particulières.

Une fois constituée, la compagnie possède sa propre existence légale indépendante de celle de ses actionnaires. Elle possède également ses biens, est titulaire de droits et est soumise à des obligations.

L'effet particulier de la compagnie est de conférer à l'actionnaire une responsabilité limitée à l'égard des dettes de celle-ci. Ainsi, en cas de faillite de la compagnie, l'actionnaire n'a pas à craindre que ses biens personnels soient saisis à moins qu'il n'ait endossé personnellement les emprunts de la compagnie.

Pour participer aux décisions de la compagnie, l'agricultrice doit détenir des actions votantes. La possession d'actions, votantes ou non, lui permet de recevoir sa part des profits, appelés dividendes, en proportion du nombre d'actions qu'elle détient dans la compagnie.

Il est intéressant de mentionner que les conjoints actionnaires dans une compagnie peuvent prévoir dans la convention entre actionnaires les conditions relatives au transfert des actions en cas de divorce ou de décès.

Actuellement, plus de 2 500 agricultrices détiennent des actions dans de telles compagnies.

LES ASPECTS FISCAUX DU TRANSFERT DE PROPRIÉTÉ ENTRE CONJOINTS

Cette section s'adresse aux femmes qui, sans détenir de titre de propriété dans l'entreprise agricole de leur conjoint, y collaborent et aimeraient en devenir copropriétaire.

Dans cette situation, pour que l'agricultrice puisse devenir copropriétaire avec son conjoint, celui-ci devra lui transférer une partie des droits de propriété qu'il détient dans l'entreprise.

Le transfert de propriété entre conjoints donne lieu à des conséquences sur le plan fiscal. Celles-ci sont différentes selon que le transfert s'effectue entre époux ou entre conjoints de fait. En effet, la législation fiscale accorde un traitement particulier aux transferts de biens entre époux.

À cet égard, il importe de mentionner que les dispositions législatives fédérales et québécoises[2] régissant les transferts de biens sont essentiellement les mêmes.

- Les conséquences fiscales découlant d'un transfert de biens entre époux: **les règles du roulement**

En principe, le gain découlant de la vente d'un bien est imposable entre les mains du vendeur. Rappelons qu'un tel gain représente la différence entre le prix de vente et le coût du bien.

En ce qui concerne les transferts de biens entre époux, les lois fiscales prévoient une règle particulière. En effet, aux fins fiscales, l'époux qui a disposé d'un bien en faveur de l'autre époux est présumé en avoir disposé pour un montant égal à la juste valeur marchande et ce, même s'il s'agit en réalité d'un don.

Cependant, le roulement constitue une exception à cette règle. Le roulement est un mécanisme qui permet à un époux de transférer à l'autre époux certains biens, sans subir de conséquences fiscales immédiates. En vertu de ce mécanisme, l'époux qui

(2) Loi de l'impôt sur le revenu (S.C. 1970-71-72, c. 63, telle qu'amendée), **Loi sur les impôts** (L.R.Q., c. I-3).

a transféré le bien est présumé l'avoir transféré pour un montant égal à son coût, même si, dans les faits, il s'agit d'un don.

Les biens qui peuvent être « roulés » d'un époux à l'autre sont ceux que la législation fiscale nomme « immobilisations ». Une immobilisation désigne les biens amortissables et les autres biens dont la disposition donne lieu à un gain ou une perte en capital.

À titre d'exemple, en matière agricole, les terres, les bâtiments de ferme, la machinerie et l'équipement de même que le matériel roulant sont des immobilisations. Les actions de compagnie et les parts de société constituent également des immobilisations.

Les autres biens, c'est-à-dire ceux qui ne sont pas des immobilisations, ne peuvent faire l'objet d'un roulement entre époux. Il s'agit notamment des animaux, des biens en inventaire, telles les récoltes produites en vue de la vente, et des immobilisations intangibles, tel un quota de production.

En pratique, dans le cas où l'entreprise agricole est exploitée personnellement, le transfert de propriété entre époux peut se faire en transférant par roulement une partie des immobilisations de l'entreprise, soit les terres, les bâtiments, la machinerie et l'équipement ainsi que le matériel roulant.

Les autres biens peuvent également être transférés d'un époux à l'autre, mais ne peuvent faire l'objet d'un roulement. Leur transfert entraînera l'application de la règle générale selon laquelle l'époux qui a disposé du bien est présumé en avoir disposé pour un montant égal à la juste valeur marchande, même s'il s'agit d'un don.

Dans le cas où l'entreprise agricole est exploitée par le biais d'une compagnie ou d'une société, le transfert de propriété entre époux se fait en « roulant » une partie des actions ou des parts sociales, selon le cas.

Par ailleurs, les règles relatives au roulement entre époux s'appliquent automatiquement. Pour s'en prévaloir, aucune formalité particulière n'est exigée de l'un ou l'autre époux. Le roulement n'est cependant pas obligatoire. Il ne s'applique pas si l'époux qui a transféré le bien en fait le choix dans sa déclaration fiscale.

En ce qui concerne les conjoints de fait, il importe de mentionner qu'ils ne peuvent utiliser le roulement lorsqu'ils se transfèrent des biens, les lois fiscales ne leur permettant pas d'y recourir.

En résumé, le roulement permet le transfert entre époux de biens en immobilisation et ce, sans conséquences fiscales immédiates. Par contre, un tel mécanisme n'a pas pour effet d'annuler toutes conséquences fiscales, il ne fait que les reporter ultérieurement. Ces conséquences se produiront lorsque l'époux qui a acquis le bien en disposera à son tour. Celles-ci sont régies par des règles particulières appelées règles d'attribution.

- Les conséquences fiscales postérieures au transfert de biens entre époux : **les règles d'attribution**

Règle générale, c'est la personne qui est propriétaire d'un bien qui assume les conséquences fiscales liées au bien. Cependant, les règles d'attribution constituent une exception à l'égard des transferts de biens par roulement entre époux.

En vertu des règles d'attribution, lorsque l'époux propriétaire d'un bien acquis par roulement en dispose, le gain en capital ou la perte en capital qui en découle est réputé être le gain ou la perte de l'époux qui avait transféré ce bien et non de celui qui en est propriétaire. À titre d'exemple, lorsque l'époux propriétaire d'actions acquises par roulement les vend, le gain qui en résulte est imposable entre les mains de l'époux qui les lui avait transférées.

Ces règles prévoient également que le revenu ou la perte provenant d'un bien acquis par roulement est réputé être le revenu ou la perte de l'époux qui avait transféré le bien. Ainsi, les dividendes provenant d'actions transférées par roulement sont imposables entre les mains de l'époux qui les avait transférées.

Il est à noter que les règles d'attribution ne s'appliquent qu'aux transferts de biens entre époux. Celles-ci ne s'appliquent pas aux transferts effectués entre conjoints de fait. Toutefois, s'ils se marient postérieurement au transfert, elles deviennent applicables à compter de la date de leur mariage.

De plus, ces règles cessent de s'appliquer lors du divorce. À partir de ce moment, c'est la règle générale selon laquelle c'est la personne qui est propriétaire du bien qui assume les conséquences fiscales liées au bien qui s'applique.

Finalement, les règles d'attribution ne s'appliquent pas lorsque les époux ont négocié à la juste valeur marchande et que l'époux qui a transféré le bien a choisi, dans sa déclaration fiscale, de ne pas se prévaloir du mécanisme du roulement. Pour que ces règles ne soient pas applicables, ces deux conditions doivent être rencontrées simultanément.

LES DISPOSITIONS APPLICABLES AU MOMENT DE LA RUPTURE D'UNION

Les agricultrices ne détiennent pas toutes des titres de propriété dans l'entreprise agricole de leur conjoint. À cet effet, la loi favorisant l'égalité économique des époux (loi 146), en vigueur depuis le 1er juillet 1989, a modifié les règles relatives à la prestation compensatoire en introduisant deux articles en faveur de l'épouse qui collabore à l'entreprise de son conjoint.

Lorsque le droit à la prestation compensatoire est fondé sur la collaboration régulière de l'agricultrice à l'entreprise, la demande peut être faite dès la fin de la collaboration et non seulement à la rupture du mariage. Une telle demande peut être faite en cas de vente, de dissolution ou de liquidation volontaire ou forcée de l'entreprise. L'apport à l'enrichissement du patrimoine du conjoint peut être prouvé par tous moyens.

Il convient de noter que ces dispositions sont applicables seulement aux couples mariés. En effet, les règles relatives à la prestation compensatoire ne s'appliquent pas aux conjointes de fait qui collaborent à l'entreprise agricole.

Ces dernières peuvent néanmoins faire valoir leurs droits par l'exercice du recours fondé sur l'enrichissement sans cause. Toutefois, cette action comporte des difficultés importantes quant à la preuve de la valeur de l'apport dans l'entreprise du conjoint de fait.

CONCLUSION

En collaborant à l'exploitation agricole de son conjoint, l'agricultrice participe activement à la vie de l'entreprise. Cette participation constitue un apport économique important, voire essentiel. Il est souhaitable que le conjoint reconnaisse, dans les faits, la valeur du travail effectué par l'agricultrice. Une telle reconnaissance passe par le transfert en faveur de cette dernière d'une partie des droits de propriété détenus par le conjoint. L'accession à la propriété constitue plus qu'une simple reconnaissance du travail effectué. Devenir propriétaire est une garantie d'autonomie financière et de sécurité économique.

Joelle Chabot, avocate
Réjean Vallerand, notaire
Secrétariat à la condition féminine

MARIE-ANNE RAINVILLE

3 MONIQUE BÉGIN... «J'AVAIS ESPÉRANCE QU'ON AILLE PLUS VITE»

Si la chenille est devenue papillon, elle travaille comme l'abeille. Monique Bégin fut tour à tour fille d'habitants, femme de cultivateur, agricultrice, productrice agricole et la toute première présidente de la Fédération des agricultrices du Québec (1987), ci-devant première fédération mondiale des femmes oeuvrant en agriculture!

Aujourd'hui, elle est l'une des quatre actionnaires de la société familiale qui gère une ferme de mille cinq cents acres où paissent, l'été, cent soixante-dix vaches, autant de veaux, quatre taureaux et une quarantaine de génisses. C'est tapi entre les vallons de son port d'attache, la Beauce, qu'on trouve le joyau de ses travaux: son jardin. «Il est immense, dit-elle. J'ai besoin de contact avec la terre, avec les plantes. Tu sais, j'ai des pommes, des prunes, des framboises, des fraises, des bleuets, des gadelles, des groseilles. Bientôt, j'aurai des vignes.»

À cinquante-huit ans, Madame Bégin est toujours enthousiaste. Dans l'immédiat et pour le plaisir de ses petits-enfants, elle veut redonner vie, avec son homme, à l'érablière. Faire les sucres, c'est une façon de se donner une meilleure qualité de vie. Quitter l'étable ou le bureau pour se réfugier dans le bois avec les jeunes.

«Qu'on le veuille ou non, il y a toujours de la politique. En général, les femmes ne sont pas pour les super grosses entreprises. Elles veulent pouvoir avoir du plaisir. Avoir le temps de vivre. Les femmes sont toujours isolées et la lutte pour leur libération est toujours difficile. J'avais espérance qu'on aille plus vite.

La réalité, c'est qu'elles ont peine à faire vivre leur mouvement. En 1988, la Fédération regroupe deux mille agricultrices et les cotisations annuelles sont pour plusieurs une quête auprès de leur mari. On fait encore peur parce qu'il y a encore des hommes qui ne veulent pas partager leurs acquis et, évidemment, leur pouvoir. En 1983, au début du mouvement, il fallait faire quelque chose pour les femmes, faire avancer leur condition pour qu'elles aient une place dans l'élaboration de l'agriculture québécoise. Je rêve du jour où, assis autour d'une table, peu importe le palier, il y aura autant de femmes que d'hommes à discuter. L'agriculture de demain, faut qu'elle soit dirigée par des hommes et des femmes, qu'on soit des égales, qu'on n'ait plus besoin de cette fédération, qu'une femme, à parler d'agriculture et à décider de son avenir, ne soit plus un événement.

«J'espère vivre assez vieille...»

Elle s'efface, se retire, retourne en elle-même. En songe, elle retrouve sa ferme, la terre de son enfance aujourd'hui devenue sienne. Puis, s'estompe dans le silence. Elle en a assez dit, puisque la vie n'est qu'une succession de défis séparés par de nécessaires temps de recueillement.

Marie-Anne Rainville, été 1988
Conseillère en communications

MYRIAM SIMARD
LOUISE ST-CYR

4 L'ACCÈS DES AGRICULTRICES QUÉBÉCOISES À LA PROPRIÉTÉ AGRICOLE

INTRODUCTION

L'état actuel des connaissances sur les tentatives faites par les femmes pour s'imposer dans les domaines jugés non-traditionnels nous montre que ces dernières éprouvent souvent beaucoup de difficultés à y arriver. Plusieurs recherches sur les progrès accomplis par les femmes à ce chapitre, qu'il s'agisse des professionnelles ou des entrepreneures, soulignent en effet l'importance des obstacles qu'elles ont à surmonter afin de prendre une place dans la société leur assurant à la fois une rémunération adéquate et un pouvoir décisionnel.

La présente recherche vise l'étude de la situation des femmes agricultrices du Québec[1]. Pour ces dernières, un des meilleurs chemins pouvant mener à l'obtention de cette rémunération adéquate et du pouvoir semble être la propriété de l'entreprise agricole pour laquelle elles travaillent depuis souvent de nombreuses années. L'analyse de leur démarches pour accéder à la propriété se situe donc très bien dans le courant actuel des recherches portant sur la lutte des femmes ayant pour but l'augmentation de leur présence visible dans la société.

---

(1) Selon la définition même de la Fédération des agricultrices du Québec (FAQ), est considérée comme agricultrice toute femme dont l'activité principale se rattache directement à l'agriculture. Cette définition englobe donc, non seulement les propriétaires d'exploitations agricoles, mais également les collaboratrices qui ne détiennent aucun titre de propriété dans l'entreprise.

De plus, l'acquisition par les agricultrices de titres de propriété apparaît comme étant une reconnaissance formelle du travail accompli par ces dernières sur la ferme familiale. D'ailleurs, les études traitant de la contribution des femmes sur la ferme, notamment l'enquête Dion (Dion, 1983), montrent que ces dernières consacrent une partie importante de leur temps et parfois même de leurs économies (lorsqu'elles en ont!) au fonctionnement de l'entreprise agricole.

Afin de juger de la pertinence de ces interrogations sur la place qu'occupe les femmes dans l'agriculture, il faut d'abord faire le constat de la proportion de femmes agricultrices propriétaires en totalité ou en partie de l'exploitation sur laquelle elles travaillent. Les statistiques de 1989 du Ministère de l'Agriculture, des Pêcheries et de l'Alimentation du Québec (MAPAQ) estiment cette proportion à seulement 20% au Québec.

Cette constatation nous amène à nous poser les questions suivantes: Pourquoi n'y a-t-il pas plus de femmes qui sont propriétaires? Pourquoi n'accèdent-elles pas en plus grand nombre à cette reconnaissance formelle de leur travail?

Une première raison invoquée peut être le manque d'intérêt des agricultrices pour la possession de titres de propriété de l'entreprise agricole.

Ceci ne constitue cependant pas la justification la plus importante du phénomène selon les femmes membres de la Fédération des agricultrices du Québec (FAQ) que nous avons rencontrées pour la première fois en juillet 1987. En effet, selon ces dernières, bien qu'il se peut que ce soit le cas pour certaines d'entre elles, cette explication ne peut être invoquée pour la majorité des agricultrices.

L'autre hypothèse pouvant expliquer la situation observée est que les femmes rencontrent des **obstacles** dans leurs démarches d'accès à la propriété.

En effet, pour devenir propriétaire d'une entreprise, il faut d'abord bénéficier d'un capital de départ. Il faut ensuite pouvoir avoir recours à des sources de financement. Les femmes agricultrices du Québec ont peut-être des problèmes d'accès au financement. Si tel est le cas, il faut essayer d'identifier les causes expliquant ces difficultés.

Cependant, les obstacles financiers, analysés ici en deuxième partie, bien qu'importants, ne sont pas les seuls à intervenir. Nous examinerons, dans un premier temps, les obstacles socio-culturels, en vue d'obtenir le portrait le plus complet possible de la situation.

Il est indéniable qu'une « qualité de vie » acceptable pour les agricultrices passe obligatoirement par des rapports d'égalité tant avec les acteurs que les institutions du milieu agricole et financier. Nous verrons ici en quoi cette qualité de vie risque d'être affectée et diminuée par les deux types d'obstacles tout juste mentionnés.

Dans le but de jeter un éclairage sur cette question une recherche exploratoire a été entreprise en 1989. Des entrevues en profondeur ont été menées auprès d'un échantillonnage de 26 agricultrices.(2)

PROFIL DES RÉPONDANTES

L'âge moyen des agricultrices interrogées était, au moment des interviews, de 41 ans. De même, 8 femmes sur 26 étaient propriétaires uniques, 8 étaient co-propriétaires à part égale ou majoritaires, 4 étaient co-propriétaires minoritaires et 6 étaient collaboratrices. Les répondantes provenaient de 11 régions agricoles différentes (sur un total de 12 régions au Québec(3)) et oeuvraient dans 8 types de production. On trouvera au tableau I la liste des régions de même que celle des productions représentées.

Voici quelques autres caractéristiques des répondantes. La très grande majorité d'entre elles étaient mariées (24/26) et le régime matrimonial régissant leur union était, le plus souvent, celui de la séparation de biens. Pour 22 des femmes interrogées, l'activité principale était l'agriculture et 23 des 26 avaient eu une occupation antérieure dans un autre domaine. Il faut également noter que le degré de scolarisation des femmes était plus élevé que celui de leur conjoint, 58% de ces dernières ayant complété un niveau

---

(2) Pour obtenir plus de détails sur le profil des répondantes et la méthodologie utilisée afin de réaliser la recherche, le lecteur peut consulter le rapport de recherche intitulé : *L'accès à la propriété et au financement agricoles au Québec : obstacles financiers et socio-culturels,* Simard et St-Cyr.

(3) Selon la classification de Statistiques Canada, recensement de 1986.

d'études secondaires alors que ce n'était le cas que de 29% des hommes, la compensation se produisant principalement au niveau des études primaires (31% pour les femmes comparativement à 50% pour les hommes).

Un autre point mérite d'être souligné; celui des motivations des agricultrices en ce qui a trait au choix d'un travail en agriculture et d'un type de production. La raison principale invoquée par les femmes pour avoir choisi l'agriculture est l'amour du travail associé à la ferme. La deuxième raison qui a été invoquée le plus souvent est le désir de suivre le conjoint dans ses activités. Quant au choix du type de production, dans la majorité des cas, c'est par goût que les femmes ont choisi d'opérer dans un secteur agricole plutôt que dans un autre. Le fait aussi que la famille ou la belle-famille de l'agricultrice opérait déjà une exploitation dans le même secteur a également, bien que dans une moindre mesure, influencé ce choix du type de production. Il vaut la peine de souligner ici que peu de femmes disent avoir choisi un type de production à cause de la sécurité et la rentabilité qu'il offrait comparativement à un autre.

ANALYSE DES OBSTACLES SOCIO-CULTURELS

Considérons d'abord les obstacles d'ordre socio-culturels pour fournir une explication globale de la sous-représentation des femmes dans la propriété agricole. Ils se regroupent autour de trois points:

- les résistances du conjoint/partenaire au partage des avoirs et du pouvoir;
- les résistances du milieu agricole par rapport à la reconnaissance juridique, économique, sociale et politique des femmes en agriculture. Par milieu, nous entendons ici autant les différents **acteurs** susceptibles de faire affaire avec les agricultrices (avocat, notaire, comptable, agronome, fournisseur, agent de crédit, collègue-agriculteur, fiscaliste...), que les **institutions** du milieu agricole (UPA, MAPAQ...);
- la tradition patrilinéaire de transfert des terres au Québec.

Les résistances du conjoint/partenaire

Une analyse de l'accès à la propriété agricole doit nécessairement tenir compte de la situation particulière de la majorité des entreprises agricoles qui sont des **entreprises familiales**.[4] La relation mari/femme est donc omniprésente dans la vie professionnelle de l'agricultrice, en raison de ce caractère « familial » de l'entreprise agricole et de l'interdépendance foyer/entreprise. Les relations affectives sont plus susceptibles de s'entremêler aux relations d'affaires. La sphère du privé (vie de couple) risque d'intervenir dans la sphère du public (entreprise). Le témoignage suivant d'une agricultrice met bien en relief cette difficulté liée au mode familial de la production agricole: « On est pris par les émotions. Ce n'est pas toujours facile d'être des partenaires et d'être un couple en même temps. On craint que ça affecte notre relation de couple... »

Cette relation particulière de conjoint/partenaire peut devenir une barrière à l'accès à la propriété. C'est ainsi que près de la moitié des femmes de notre échantillon ont déclaré spontanément que le **premier obstacle à l'accès des femmes à la propriété agricole est généralement le conjoint**. Le témoignage de l'une d'elle est sans équivoque: « Le malaise se vit bien plus entre mari et femme qu'au niveau des dispositions contraignantes dans les différentes lois... »

Les raisons mentionnées par les répondantes tournent toutes autour de la question litigieuse du **partage des avoirs et du pouvoir** : inquiétude du mari de perdre une partie de son patrimoine, peur d'affaiblir son pouvoir décisionnel, appréhension que la femme prenne trop de place, difficulté du mari de comprendre les besoins d'autonomie, de motivation et de valorisation de la femme, réticence du conjoint de reconnaître l'apport véritable de l'agricultrice sur la ferme...

Briser ces résistances demande une bonne dose d'énergie. C'est à force de beaucoup de « doigté », de discussions étalées souvent sur plus d'une année que plusieurs répondantes ont réussi à faire valoir leur désir d'accès à la propriété. Et ces rapports de

(4) Tous les témoignages dans cet article proviennent des entrevues tenues avec les agricultrices en 1989.

négociations et de pouvoir ont tendance à se perpétuer même au-delà de la signature du contrat de propriété. L'accès à la propriété ne signifie pas en effet l'accès automatique au pouvoir et à la prise de décision. À partir des statuts juridiques des agricultrices, cinq tendances furent dégagées au sujet du partage des avoirs et du pouvoir, au cours de l'analyse.(5) Deux méritent d'être mentionnées ici puisqu'elles mettent en évidence les difficultés persistantes de deux catégories d'agricultrices, une fois l'accès à la propriété obtenu.

- D'abord, les femmes sociétaires et actionnaires minoritaires qui ont du mal à s'imposer dans la prise de décision et la gestion de l'entreprise. La décision finale revient en effet toujours au mari, sur toutes les matières à décision, sauf dans la sphère domestique. Les consultations sont rares et superficielles et il y a un net problème de communication et de circulation de l'information. La situation de ces partenaires minoritaires s'apparente d'ailleurs beaucoup à celle des femmes collaboratrices. Il y a écart entre leur contribution et leur pouvoir économique, et ce dernier se voit réduit à un simple pouvoir d'influence.
- Ensuite, de façon étonnante, les propriétaires uniques de fermes complémentaires de celles des maris, qui sont quant à elles dans une situation paradoxale et ambiguë de pouvoir.(6) Ici, le conjoint tente en général de s'immiscer dans la prise de décision, à la faveur de la complémentarité des deux entreprises et de la quasi-impossibilité de dissocier les deux fermes (comptabilité commune, échange de services fréquents...), et ce, même si sa femme détient le titre de propriétaire unique. Pour les agricultrices qui désirent alors s'imposer comme propriétaire unique, il en résulte une gestion autonome souvent «houleuse», empreinte de nombreuses argumentations avec le conjoint. «Tout est tricoté ensemble» disait l'une d'elle.

---

(5) Se reporter au rapport pour plus de précisions sur ces cinq tendances.
(6) La femme met sur pied ici une entreprise qui vient compléter les activités de l'exploitation agricole du mari. Par exemple, la femme se spécialise dans les porcs de reproduction, de porcelet jusqu'à la truie de reproduction, alors que son mari est propriétaire d'une ferme de maternité porcine.

Les autres agricultrices, sociétaires et actionnaires à parts égales, propriétaires uniques de fermes nouvelles et les doubles statuts[7], ne sont cependant pas à l'abri des réticences et résistances du conjoint. Même si elles semblent être dans un rapport plus facile et plus égalitaire en ce qui concerne le partage des avoirs et du pouvoir, ces agricultrices sont elles aussi susceptibles d'avoir à affronter un tel obstacle « marital ». En fait foi le témoignage suivant d'une sociétaire détenant 50% des parts de l'entreprise familiale :

> « Il ne l'a pas digéré. Il a peur du divorce et d'être obligé de diviser la ferme... Il ne l'a jamais accepté. Il le regrette maintenant. Il en parle souvent. C'est un sujet encore très difficile même trois ans après la signature du contrat de société. »

Quant aux collaboratrices, elles sont les plus vulnérables face aux résistances du conjoint au partage des avoirs et du pouvoir. Comme le concluait avec réalisme une agricultrice, « quand le mari veut pas, tu ne peux pas aller plus loin ». Rares sont les maris des collaboratrices de notre échantillon qui furent spontanément réceptifs à la demande de leur femme d'accéder à la propriété de l'entreprise familiale, et ce en dépit d'une moyenne de 14 années de collaboration et de 82 heures/semaine de travail. Nettement insatisfaites de leur statut et de leur « pouvoir d'influence » incertain et instable, ces agricultrices collaboratrices pourtant aspirent toutes à un changement de statut plus équitable.

Le partage de la propriété et du pouvoir a été identifié dans la littérature comme un problème épineux et central pour les agricultrices (Barthez, 1983; Boivin, 1987; Dion, 1983; FAQ et GREMF, 1988; Smith, 1987). Toutes ces études viennent appuyer les témoignages des répondantes et démontrent à quel point les blocages liés au conjoint peuvent figurer, pour l'agricultrice, comme un obstacle majeur à l'accès à la propriété et au pouvoir dans l'entreprise familiale.

---

(7) Par double statut, nous entendons les propriétaires uniques d'une entreprise en propre et en même temps co-propriétaires de la ferme du mari.

Les résistances du milieu agricole

Dans ses démarches d'accès à la propriété agricole, l'agricultrice aura à surmonter des difficultés **supplémentaires**, cette fois avec certains acteurs et institutions du milieu agricole. Ici aussi des rapports conflictuels et teintés de discrimination subtile se perpétueront au-delà de la signature du contrat de propriété. En fait, l'agricultrice devra faire preuve de fermeté et de ténacité continuelles dans ses rapports avec le milieu, d'autant plus que les résistances du milieu agricole sont susceptibles d'intervenir à tout moment dans la vie de l'agricultrice. Il ressort en effet clairement des entrevues que la femme en agriculture se bute à la méfiance et à l'opposition du milieu agricole non seulement lors de ses débuts dans la profession d'agricultrice mais aussi après, lors de ses multiples démarches avec les divers acteurs du milieu. Certes, au fur et à mesure que l'agricultrice fait ses peuves, ces résistances semblent s'atténuer mais sans pour autant disparaître complètement. Le témoignage suivant sur la nécessité de demeurer vigilante et de s'imposer est éloquent:

> «J'ai dû faire des mises au point... Avec les années, les intervenants apprennent à nous connaître. Il ne faut pas avoir peur de leur dire qu'on est là et qu'on existe nous aussi.»

Deux-tiers des répondantes ont donc mentionné comme **deuxième obstacle à l'accès des femmes à la propriété agricole, la «mentalité traditionnelle et fermée» du milieu agricole à l'égard des droits des femmes**. Cette nouvelle barrière se manifeste de multiples façons:

> des **notaires** peu réceptifs à l'égard d'un contrat d'association reconnaissant plusieurs années de travail de l'agricultrice, sous prétexte de démarches longues, complexes et nombreuses. À noter que le tiers des agricultrices interrogées (8/24) ont eu à subir d'une façon ou d'une autre les contrecoups de l'attitude négative de ces conseillers juridiques, pourtant cruciaux lors des démarches d'accès à la propriété des agricultrices, quant à la reconnaissance juridique et économique des femmes en agriculture.

des **fiscalistes** favorables à un partenariat féminin « minoritaire » pour faciliter la prise de décision dans l'entreprise par le mari.

des **comptables** incapables de comprendre le rôle spécifique de la femme en agriculture et réticents à payer un salaire à la femme pour son travail sur la ferme et ce malgré l'accord du mari.

des **collègues-agriculteurs** peu coopératifs surtout dans certains types de production traditionnellement « masculine », souvent désobligeants et hésitants à reconnaître les succès des femmes en agriculture.

des **agronomes et vétérinaires** sceptiques et démobilisateurs par rapport aux initiatives des agricultrices dans des spécialités agricoles non traditionnelles (caprine, culture biologique)

des **fournisseurs** contrariés de devoir faire affaire avec des femmes et qui s'obstinent à vouloir parler au mari, à confondre l'entreprise de la femme avec celle de son conjoint malgré les correctifs exigés par l'agricultrice, et à vérifier auprès du mari des informations rapportées par sa femme... Les agricultrices interrogées furent quasi-unanimes pour attribuer à ces acteurs du milieu agricole le « prix-citron » en raison de leur refus de considérer l'agricultrice comme une interlocutrice valable.

des **agents de crédit** incrédules quant à la capacité physique, l'autonomie et la polyvalence de l'agricultrice et peu ouverts à l'égard des femmes dans des productions inhabituelles.

Un nombre élevé de répondantes de notre échantillon ont eu des expériences malheureuses avec les professionnels du milieu : notaires, avocats, comptables, agronomes, agents de crédit... Le peu de sensibilité de certains de ces professionnels par rapport aux droits des femmes et à la problématique particulière de l'agriculture fut fréquemment mentionné. Il vaut la peine de faire une parenthèse sur les réticences de certains professionnels à l'égard de projets non traditionnels et innovateurs. Les données de notre recherche révèlent que dès que les femmes s'éloignent des sentiers battus, elles courent plus de risques d'éprouver des difficultés pour accéder à la propriété et au financement. C'est ici que les pratiques discriminatoires semblent le plus susceptible d'apparaître et que les rapports conflictuels avec les divers intervenants du milieu agricole sont exacerbés. Ainsi que le mentionnait Alice Barthez pour la France, « dès que les femmes essaient de construire d'autres projets que ceux proposés jusque là », dès qu'elles cherchent « à vivre autrement », il survient alors un rapport « le plus souvent conflictuel avec les organisations économiques agréées pour assister les agriculteurs... »(8) Et ces relations conflictuelles se traduisent, aux dires des répondantes, par des refus catégoriques, des « éclats de rire », des délais injustifiés par rapport à ces demandes jugées « insolites » (cours de maniement de scie à chaîne, programmes pour l'amélioration d'une érablière, requêtes pour drainer la terre et creuser un ruisseau, subventions pour la production caprine...). C'est ici qu'il leur faut « défoncer les portes » et faire preuve d'une détermination à toute épreuve, tellement ces demandes sont « mal vues et mal reçues » relate une agricultrice.

Quant aux institutions du milieu agricole, la majorité des commentaires ayant porté sur l'UPA, nous nous concentrerons sur cet organisme. Plus de la moitié des répondantes (15/26) ont manifesté de l'insatisfaction à l'égard de l'UPA. Et ce mécontentement est surtout occasionné par l'idéologie trop souvent conservatrice de cette institution. Cette dernière est décrite comme « un monde d'hommes », « un clan de vieille mentalité », la « dernière taverne du Québec qu'il faut transformer en brasserie » où subsistent des résistances par rapport à une véritable égalité des femmes en agriculture : discours de certains dirigeants régionaux contre la création de sociétés avec les femmes, incompréhension et irritation à l'égard des revendications des agricultrices, réticences à l'égard des projets innovateurs des femmes en agriculture, difficultés des agricultrices de percer dans les postes de direction de l'UPA et des syndicats de base.

En fait, il se dégage des entrevues un net sentiment de **solitude** des agricultrices par rapport à l'UPA. Elles doivent péné-

---

(8) Alice Barthez, « Le travail familial et les rapports de domination dans l'agriculture », *Nouvelles questions féministes*, 5, 1983, p. 43.

trer un « milieu fermé » composé majoritairement d'hommes, bien justifier toutes nouvelles idées, fonctionner malgré leur marginalisation et l'absence de support du milieu et faire leurs preuves par une performance exceptionnelle. Le témoignage suivant d'une agricultrice résume bien ce sentiment général d'isolement qui ressortait des entretiens :

> « À l'UPA, la majorité des membres sont des hommes. Quelques femmes s'infiltrent. Quand elle arrive, elle est bien mal vue. Elle passe pour une femme hors des autres. Elle se sent comme un chat dans une bande de loups. Quand elle a quelque chose à amener, il faut qu'elle monte bien son dossier. Ils ont tendance à rire. Elle est seule. Ils ne la considèrent pas tout à fait comme un autre homme. »

Une exception cependant est à noter. Les agricultrices donnèrent une appréciation fort positive des syndicats de gestion de l'UPA, notamment au niveau de l'information et de l'aide technique offertes aux agricultrices pour constituer leurs dossiers.

Que conclure de ce deuxième type d'obstacle socioculturel ? Marginalisation de l'agricultrice, exclusion des postes de pouvoir, dépréciation de ses habiletés, non-reconnaissance de son travail, scepticisme par rapport à ses chances de succès et à sa capacité de diriger et de gérer une entreprise, réticence à l'égard de la propriété unique féminine, fermeture par rapport à des projets « féminins » innovateurs, valorisation des modèles traditionnels de partage du pouvoir et des avoirs, refus de considérer l'agricultrice comme une interlocutrice valable, manque de support de certaines institutions du milieu agricole... sont là quelques unes des difficultés auxquelles a à se buter l'agricultrice dans ses rapports avec le milieu agricole. Et il semble que les propriétaires uniques soient les plus affectées par ces difficultés, surtout celles qui tentent une percée dans une production inhabituelle. Le milieu agricole comme le concluait une agricultrice « n'est pas encore prêt à l'égalité des hommes et des femmes en affaires ». Tant que persisteront les rapports sociaux patriarcaux, de telles attitudes et pratiques discriminatoires viendront entraver la quête d'égalité et d'autonomie des agricultrices.

Une auteure, Michèle Boivin, avait d'ailleurs déjà mis en évidence cette «force d'inertie de la tradition» dans le milieu rural et la nécessité d'accélérer l'évolution des mentalités par des changements d'attitudes de la part de tous les acteurs du milieu agricole.[9]

La tradition patrilinéaire de transfert des terres au Québec

La pratique successorale de léguer la terre au fils au Québec figure comme un facteur structurel de blocage à l'accès à la propriété agricole pour les femmes. Fondée sur le partage inégalitaire des biens de la ferme, sur la base du sexe, cette pratique réserve les biens meubles à la fille (animaux, instruments aratoires, trousseau...) et l'héritage de la terre au fils.[10] Ce modèle restrictif de transmission, au profit d'un seul héritier mâle, a donc un impact négatif sur la propriété agricole «au féminin». Il exclut en effet quasi systématiquement les femmes de l'héritage de la terre du père ou du conjoint et les prive ainsi d'une belle occasion d'accéder à la propriété par succession ou donation. Et en cas de divorce, cette tradition patrilinéaire greffée au régime matrimonial de séparation des biens dépossède les femmes du fruit de leur travail agricole comme le mentionnait Lise Pilon-Lê.[11] En outre, elle pénalise les agricultrices en les privant d'un capital de départ potentiel et de garanties à offrir pour l'acquisition de nouvelles entreprises à propriété féminine.

D'après les entrevues, cette pratique successorale semble encore très bien ancrée au Québec, d'autant plus qu'il s'agit là souvent de terres transmises dans la même famille depuis trois ou quatre générations. Près de la moitié des agricultrices interro-

---

(9) Michèle Boivin, «Les agricultrices: un travail à reconnaître sur les plans juridique et économique», *Place aux femmes dans l'agriculture,* CCCSF, novembre 1987, pp. 77-83.

(10) Pour un historique des pratiques successorales de transfert des terres, se reporter à l'article de Lise Pilon-Lê «Logique productiviste contre logique paysanne: la transmission des fermes spécialisées au Québec» dans lequel l'auteure retrace l'évolution historique des formes de transmission des terres aux enfants, à travers trois pratiques précises: 1. la donation entre vifs; 2. la vente père-fils; 3. les nouvelles formes de transmission: société et compagnie.

(11) Lise Pilon-Lê, «Les agricultrices au Québec: leurs luttes pour la reconnaissance dans le contexte actuel», *Le mouvement des femmes en agriculture au Québec,* Les cahiers de recherche du GREMF, n° 14, p. 18.

gées ont souffert d'une façon ou d'une autre de la tradition patrilinéaire :

- certaines auraient aimé hériter de la terre mais n'ont pas osé en parler pour ne pas occasionner de conflits, la terre revenant automatiquement au frère aîné. « La question ne se posait même pas dans ces années-là » remarque l'une d'elle ;
- d'autres se sont butées aux résistances de la belle-famille à faire entrer une « étrangère » dans le clan familial par crainte d'un morcellement de la terre paternelle ;
- d'autres, malgré leur désir avoué de prendre en charge la ferme familiale et de préserver son caractère agricole, ont vu la terre léguée à un frère peu intéressé à la relève agricole et qui revend la ferme à des intérêts commerciaux peu de temps après (centre de ski, piste de course...) ;
- enfin, d'autres ont dû accepter que leur père vende à un étranger, faute d'héritier mâle, malgré leur intérêt à la terre familiale. Une répondante relatait : « La terre, c'est une affaire de gars. Mon père ne nous aurait jamais vendu, à nous ses filles, dans sa mentalité ».

Deux éléments ressortent particulièrement de l'examen des pratiques de transfert des terres. D'abord, le recours aux filles comme dernière ressource de transfert, avant d'être obligé de vendre à des étrangers. Léguer à une fille, ce n'est pas « spontané » remarquait une agricultrice, et ce n'est pas encore « à la mode » même si la fille détient une formation en agriculture. Les régions éloignées, aux prises avec de sérieux problèmes de relève, semblent d'avant-garde à ce sujet. Ensuite, la relation souvent problématique de la bru avec sa belle-famille au sujet du partage des avoirs et du pouvoir.

Plus de la moitié des répondantes se sont attardées sur les rapports difficiles de la bru avec sa belle-famille. Pour la belle-fille, « l'esprit de clan » de la famille de son mari peut en effet constituer une véritable barrière à son accès à la propriété, surtout si elle est une « fille de ville ». Elle devra « faire ses preuves » avant de songer à obtenir des parts de l'entreprise familiale de son conjoint. La crainte du morcellement de la terre par un divorce est ici sous-jacente à ces résistances. La belle-famille envisage mal que ce soit « une étrangère qui va profiter de ses labeurs ». Une répondante avoue en toute sincérité ce premier réflexe de considérer la bru comme une étrangère indigne du partage de la propriété :

> « Une ferme, c'est pas juste une maison. C'est un paquet de sentiments, de souvenirs, l'amour des animaux, des terres... Tu y as mis tellement du tien. Tu peux pas t'imaginer que ça soit un étranger qui achète. Et une bru c'est un peu comme une étrangère. C'est profond. »

En raison de la spécialisation et de la concentration des fermes actuelles, la tradition patrilinéaire de léguer la terre à un fils est **en crise**. Le coût élevé des fermes, les revenus agricoles souvent insuffisants, l'endettement exorbitant, le surmenage, la baisse de la qualité de vie... menacent la transmission des terres à un propriétaire unique. La propriété collective apparaît alors de plus en plus comme une alternative. Il y a en effet de plus en plus de création de sociétés et dans une moindre mesure de compagnies où des femmes deviennent des partenaires avec des parents, conjoints, frères, soeurs, beaux-frères, belles-soeurs ou amis. Il faut s'interroger de l'impact sur les femmes de ces nouvelles modalités de transfert. Est-ce là l'occasion d'accéder à la propriété agricole et de contourner la tradition successorale discriminatoire encore dominante au Québec ? Comment s'y fera la division du travail ? et la prise de décision ? La propriété collective n'est pas aisée. Beaucoup de nouveaux problèmes s'y posent. Des rapports de pouvoir entre partenaires s'y manifestent (inter-générationnels ou autres). Il reste à voir comment les femmes vont s'insérer dans ces nouvelles structures de co-exploitation pour apprécier la portée de ces pratiques successorales récentes sur la propriété agricole « au féminin ».

ANALYSE DES DEMANDES DE FINANCEMENT PAR LES AGRICULTRICES

Sommaire de l'accès au crédit

L'analyse des entrevues effectuées dans le cadre de cette recherche ne pourrait être complète si elle s'arrêtait aux obstacles sociaux-culturels. Il fallait, aussi tenter de mesurer si effectivement les agricultrices interviewées avaient eu des difficultés d'accès au crédit. Spécifions tout d'abord que notre échantillon était composé de propriétaires, de co-propriétaires (à parts égales, minoritaires et majoritaires) et de collaboratrices (propriétaires « potentielles »).

Ce qui étonne le plus, à première vue, c'est que certaines femmes semblent avoir rencontré beaucoup de difficultés alors que pour d'autres, l'accès au crédit n'a présenté que peu ou pas d'obstacles. En effet, si on examine le tableau II qui nous donne un sommaire des demandes de financement faites principalement auprès des institutions financières, de l'Office de crédit agricole du Québec (OCAQ) et de la Société de crédit agricole (SCA), on constate que le pourcentage de prêts obtenus « facilement » est beaucoup plus grand chez les co-propriétaires (80% des demandes de prêts) que chez les propriétaires uniques (32% des demandes). On remarque également que les refus et les démarches que l'on peut qualifier de « difficiles » (soit les catégories « obtenu après refus », « obtenu avec effort », « obtenu grâce à la connaissance de l'agent ») sont beaucoup plus nombreux chez les propriétaires uniques (16% de refus et 53% de démarches « difficiles ») que chez les co-propriétaires (7% de refus et 14% de démarches « difficiles »).

Notons ici deux points :

- la classification d'une démarche comme étant « difficile » repose, dans certains cas, sur une perception de la situation par les agricultrices. En effet, lorsque ces dernières nous disent avoir obtenu un prêt parce qu'elles avaient connu l'agent dans d'autres circonstances, il s'agit d'une évaluation personnelle de la démarche. En aucun cas, l'agent n'a affirmé à l'agricultrice que le prêt lui avait été accordé parce qu'il la connaissait ;
- l'exigence de garanties par le prêteur, même élevées, n'a pas été considérée comme une difficulté puisque, dans presque tous les cas, le bailleur de fonds a exigé des garanties très importantes. Cette situation est peut-être particulière à l'agriculture ou aux femmes ; nous y reviendrons.

Enfin, soulignons également que pour toutes les collaboratrices et co-propriétaires minoritaires interrogées (sauf une), les résultats présentent un résumé des démarches du mari puisqu'aucune d'entre elles n'avait entrepris de démarches de crédit seule. Pour la plupart, elles n'ont même pas accompagné le conjoint dans ses demandes. Cette situation nous donne un peu l'équivalent d'un groupe-témoin et on s'aperçoit que les résultats des démarches entreprises par les conjoints sont beaucoup plus près des résultats de celles entreprises par les co-propriétaires plutôt que de celles des propriétaires uniques.

Comment peut-on caractériser ces demandes de prêt des propriétaires uniques par rapport à celles des co-propriétaires à parts égales ou majoritaires?

Les motifs des demandes se répartissent à peu près de la même façon entre les deux groupes, c'est-à-dire que l'on a recours au financement autant pour faire l'acquisition d'une entreprise que pour financer des achats en cours d'exploitation permettant soit de maintenir la capacité de production de la ferme, soit de l'augmenter (voir tableau III).

La caractéristique qui semble la plus «parlante» est celle de la taille des prêts demandés. Les demandes ont été classées en trois groupes. Les demandes inférieures à 15 000$ ont été qualifiées de «petites», celles se situant entre 15 000$ et 60 000$ de «moyennes» et celles supérieures à 60 000$ de «élevées».

Comme le démontre le tableau IV, 53% des demandes faites par les propriétaires uniques sont «petites» comparativement à 7% pour les co-propriétaires. 11% seulement des demandes sont «élevées» chez les propriétaires uniques par rapport à 40% chez les co-propriétaires. Il semble donc que les propriétaires uniques éprouvent plus de difficultés à obtenir des prêts de montants inférieurs! Il y a de quoi piquer la curiosité, il faut bien l'avouer!

Analyse des difficultés d'accès au crédit

À ce point, il convient donc d'identifier les causes pouvant expliquer pourquoi une catégorie bien spécifique de femmes rencontrent des difficultés d'accès au crédit.

C'est en examinant les principes régissant l'accès au crédit en théorie financière que nous avons établi la démarche à suivre afin de répondre à l'interrogation soulevée précédemment.

Selon cette dernière, si les marchés financiers sont efficients (donc « équipés » entre autres d'agents de crédit économiquement rationnels ne se laissant pas influencer par des variables comme le sexe de l'emprunteur), tout projet rentable devrait pouvoir trouver à se financer. Selon la théorie financière donc, la difficulté d'accès aux capitaux ne peut s'expliquer que par deux choses :

- les marchés ne sont pas efficients
- le projet à financer n'est pas rentable.

C'est d'abord en traitant du deuxième point que nous aborderons les causes des difficultés d'accès au financement. En effet, il nous apparaît important de bien examiner l'aspect de la rentabilité des exploitations avant même de traiter des inefficiences de marché pouvant exister et qui peuvent se révéler discriminantes pour les femmes.

La rentabilité des exploitations

Il faudrait définir, en premier lieu, ce qu'est un projet rentable. En finance, un projet est rentable s'il rapporte au moins le coût des fonds nécessaire à son financement. Cela veut dire qu'il doit permettre à chacun de ceux qui le financent une rémunération adéquate des sommes investies. Le prêteur doit donc être assuré que les flux monétaires générés par le projet seront suffisants pour le paiement des intérêts et le remboursement du principal. Quiconque investit des fonds propres dans un projet devrait également souhaiter recevoir un rendement équivalent au risque encouru. Cependant, comme ce dernier n'a droit qu'au résidu (après paiement des créanciers), habituellement le prêteur ne se soucie pas de cet aspect de la rentabilité du projet.

Dans le cas qui nous préoccupe, soit le financement d'exploitations agricoles, il faut prendre également en compte la définition de la rentabilité apparaissant dans la Loi sur le financement agricole. En effet, il existe au Québec un régime de financement agricole qui permet aux agriculteurs d'accéder à des conditions de prêt avantageuses auprès des institutions financières (entre autres conditions : contribution du gouvernement au paiement des frais d'intérêt et garantie gouvernementale du prêt à l'institution financière prêteuse, cette dernière étant accordée grâce au Fonds d'assurances-prêts).

On peut lire ce qui suit à l'article 13 de la Loi sur le financement agricole :

> «Aux fins du présent article est considérée comme entreprise agricole rentable une entreprise agricole susceptible de produire, compte tenu de l'ensemble de ses ressources, un revenu permettant à la personne qui l'exploite de couvrir les dépenses d'exploitation, y compris les intérêts sur les emprunts et les amollissements ainsi que les frais de subsistance et autres obligations.»

Quelle est la différence majeure entre les deux définitions de la rentabilité apparaissant ci-dessus ? Il s'agit de l'inclusion dans la définition de la Loi sur le financement agricole, de la nécessité de pouvoir assurer, à même l'exploitation agricole, les frais de subsistance de l'emprunteur. Normalement, lorsqu'elle consent du crédit, une institution financière ne se préoccupe pas de cet aspect. Ce que l'on exigera d'une entreprise, c'est qu'elle puisse verser à ceux qui y travaillent, un salaire qui est fonction de la quantité d'heures travaillées ainsi que des compétences requises pour l'effectuer. Comme nous le mentionnions précédemment, elle ne se souciera même pas de la rémunération des capitaux propres du propriétaire puisqu'elle sera de toutes façons payée avant ce dernier, celui-ci n'ayant droit qu'au résidu.

Pourquoi cette différence dans la définition ? C'est comme si on reconnaissait ici à l'agriculteur la possibilité de travailler sur sa ferme uniquement pour assurer sa subsistance et celle de sa famille, même si en définitive, cette rémunération présente un taux horaire bien bas ! On trouvera d'ailleurs dans l'article de Caldwell une discussion intéressante sur le sujet de la renonciation possible par les agriculteurs à un meilleur rendement au profit d'un certain mode de vie (Caldwell, 1988 : 353). Aux yeux de l'OCAQ cependant, on ne peut renoncer à un minimum de rentabilité, ce minimum devant permettre le remboursement des créanciers et la subsistance de la famille. Il est important de souligner ici qu'il ne pourra être question, toujours pour respecter l'esprit de la loi, de recourir à une source de revenu extérieure à l'exploitation agricole pour assurer le respect des obligations prévues par cette dernière.

On voit donc que les exigences de l'OCAQ se rapprochent de celles prescrites par la théorie financière et cela ne saurait nous surprendre puisqu'un des objectifs avoués du MAPAQ est de « considérer la ferme comme une petite entreprise industrielle ordinaire à exploiter de la même façon que les autres » (Caldwell, 1988 : 362).

Pourquoi se soucier des deux définitions ? Tout simplement parce qu'il se peut qu'une agricultrice décide de ne pas avoir recours au régime québécois de financement agricole et décide de faire affaire directement avec une institution financière. On peut d'ailleurs observer au tableau V les caractéristiques de l'échantillon sur ce point.

Les besoins de l'analyse commandent donc, dans un premier temps, de juger de la rentabilité des projets soumis pour financement par les propriétaires uniques et de la comparer à celle des projets soumis par les co-propriétaires et les collaboratrices. Les définitions de la rentabilité auxquelles nous avons fait référence antérieurement devraient nous permettre d'identifier les indicateurs pertinents.

Nous ne disposons malheureusement pas des chiffres précis qui ont servi à l'évaluation de chacune des demandes de financement auxquelles nous avons fait allusion dans la première partie de ce texte. Nous ne possédons donc pas d'indicateurs directs de la rentabilité de chacun des projets soumis par les agricultrices. Nous ne possédons que des indicateurs indirects, soit entre autres la rentabilité des exploitations agricoles de ces agricultrices et même ce dernier indicateur présente certaines faiblesses.

En effet, nous avons eu beaucoup de difficultés à obtenir des données financières ayant rapport à l'exploitation agricole. Dans plusieurs cas, nous n'avons pu obtenir certains des chiffres demandés, même certaines propriétaires uniques nous ont dit ne pouvoir nous donner les résultats financiers de leur exploitation séparément de celles de leur mari. Dans d'autres cas, il semblait y avoir incohérence dans les diverses données fournies et il ne nous a pas été possible de les résoudre. Ceci fait en sorte que l'interprétation des résultats s'avère parfois difficile.

Néanmoins, on peut observer au tableau VI les statistiques suivantes pour la dernière année d'exploitation des entreprises agricoles constituant l'échantillon :

- revenu net/ventes (marge bénéficiaire des ventes),
- ventes/actifs (efficacité d'utilisation des actifs) et
- revenu net/actifs (rentabilité des actifs).

Le dernier ratio mentionné, soit celui du revenu net/actifs est retenu comme mesure globale de la rentabilité des actifs investis dans l'entreprise. Ce ratio, (appelé aussi rendement sur actifs), est largement utilisé par tous les analystes financiers et les divers agents de crédit. On le préfère au revenu net comme mesure de performance, puisque le rapport du revenu net aux actifs qui ont servi à le produire, permet de relativiser les résultats.

Les résultats obtenus pour chacune des mesures mentionnées sont très variables. En ce qui a trait au rendement des actifs, qui représente une mesure du succès de l'entreprise, la moyenne des chiffres calculés est la suivante :

- 23,09% pour les propriétaires uniques
- 4,62% pour les co-propriétaires et
- 3,7% pour les collaboratrices.

Si on examine les deux autres mesures, on constate que la marge bénéficiaire suit la même tendance que la rentabilité des actifs. En effet, elle s'élève à :

- 8,94% pour les propriétaires uniques,
- 2,67% pour les co-propriétaires et
- 12,82% pour les collaboratrices.

La rotation moyenne des actifs diffère de façon assez importante entre les exploitations des propriétaires uniques et des co-propriétaires, comme en témoignent les chiffres ci-dessous.

Les chiffres de la rotation moyenne sont les suivants :

- 1,5 pour les propriétaires uniques,
- 0,29 pour les co-propriétaires et
- 0,79 pour les collaboratrices.

Il est à noter que cette différence vient accroître l'écart entre la rentabilité des actifs des deux groupes. La rotation plus faible des actifs s'explique sûrement par la nature des opérations des deux catégories d'agricultrices. En effet, les co-propriétaires le sont presque toutes d'opérations contingentées (surtout laitières), opérations qui nécessitent beaucoup plus d'actifs que celles des propriétaires uniques.

Il semble donc, à première vue, que les opérations des propriétaires uniques soient beaucoup plus rentables que celles des co-propriétaires et des collaboratrices. Ce résultat est d'autant plus étonnant qu'on attendait le contraire. En effet, une rentabilité plus faible de leurs exploitations aurait pu expliquer les difficultés d'accès au financement qu'elles éprouvent.

Cependant, avant de conclure à l'inefficience des marchés, il faudrait d'abord questionner la valeur de ces indicateurs. Par exemple, pour le calcul du rendement des actifs, on inclut dans la définition des actifs la valeur du fonds de terre. Devrait-on exiger d'une ferme la capacité de rémunérer le capital investi dans la terre ? N'est-ce pas souvent un bien familial au même titre que la maison ? Ce point est d'ailleurs soulevé par Gary Caldwell dans son récent article sur la surcapitalisation des exploitations agricoles au Québec lorsqu'il met en doute la pertinence des mesures « capitalistes » pour procéder à l'évaluation de ces dernières (Caldwell, 1988 :366,367). En incluant le fonds de terre dans les actifs, ne risque-t-on pas de créer un biais favorable en faveur des exploitations qui ne possèdent que le strict minimum de terrain pour opérer ? Cela pourrait-il être le cas des fermes exploitées par les propriétaires uniques qui affichent une meilleure rentabilité que celles des co-propriétaires ? Cette situation ne semble pas être le cas ici puisque le pourcentage des actifs attribué à la terre par les propriétaires uniques est de 22 % alors qu'il est de 19 % pour les co-propriétaires.

Il faut également considérer que certaines exploitations paient un salaire aux exploitants (qui vient donc en déduction du revenu net) alors que d'autres n'en paient pas, ce qui peut expliquer les différences dans les niveaux de rentabilité. On le voit bien, l'utilisation de ces mesures soulèvent donc beaucoup d'interrogations.

Il y a quand même certaines statistiques qui peuvent jeter un éclairage sur les exploitations des propriétaires uniques. Sur le même tableau VI, on peut constater les différences énormes dans la taille des fermes de chacun des groupes. Le chiffre d'affaires moyen des exploitations des co-propriétaires est quatre fois plus élevé que celui des propriétaires uniques alors que la valeur marchande moyenne des actifs est presque huit fois plus grande. Le coût à l'achat des fermes des co-propriétaires est 12 fois plus élevé que celui des propriétaires uniques. On peut donc conclure ici sans équivoque que les co-propriétaires de notre échantillon le sont d'exploitations beaucoup plus importantes que celles des propriétaires uniques.

Ceci ne suffit pas à prouver par ailleurs une rentabilité inférieure pour les propriétaires uniques. En effet, rien ne nous assure que les petites exploitations soient moins rentables. On doit constater tout de même que ces dernières opèrent des productions non contingentées donc non «protégées» au niveau de la récupération des coûts dans les prix de vente, et que la venue de l'agriculture marchande diversifiée, concept mis en lumière par Michel Morisset dans son livre intitulé «L'agriculture familiale au Québec» (Morrisset, 1987) favorise les exploitations de grande taille. Cette question est très importante car on peut voir poindre ici un cercle vicieux. Si la rentabilité ne peut se retrouver que dans les grandes exploitations, comment les femmes, qui possèdent très peu de capitaux au départ, peuvent-elles réussir à en devenir propriétaires?

Les conclusions sur ce point de la rentabilité semblent donc ambiguës. En effet, il n'est pas possible d'affirmer que les opérations des propriétaires uniques soient moins rentables que celles des co-propriétaires non plus qu'il soit possible d'affirmer le contraire. Néanmoins, la taille de l'exploitation pourrait être un facteur expliquant les difficultés d'obtention du crédit par les propriétaires uniques, celles-ci étant considérées comme étant plus risquée par les institutions financières.

Enfin, avant de quitter cette section sur la rentabilité, soulignons que la définition de rentabilité utilisée par l'OCAQ peut parfois pénaliser les femmes opérant des entreprises qui ne représentent pas la seule source de revenu pour la famille. Au moins une femme de notre échantillon a dû essuyer un refus car les agents ont considéré que les revenus de la ferme n'étaient pas suffisants pour subvenir aux besoins de la famille. Pourtant, le mari de cette femme travaillait à l'extérieur et assurait la subsistance de cette famille.

L'efficience des marchés

S'il s'avère très difficile de trancher la question de la rentabilité des exploitations, nous pouvons très certainement alimenter le premier point soulevé au début de cette section en ce qui a trait aux causes des difficultés d'accès au crédit selon la théorie financière, soit celui de l'efficience des marchés financiers.

Qu'est-ce qu'un marché financier efficient et quelles sont les conditions nécessaires à cette efficience?

Un marché financier efficient, d'un point de vue allocationnel, est celui qui permet l'allocation des ressources de l'économie aux projets rentables, c'est-à-dire aux projets dont la rentabilité est adéquate étant donné le risque encouru par les fournisseurs de capitaux. Il y a plusieurs conditions qui doivent être rencontrées si l'on veut que cela se produise. Nous ne les énumérerons pas toutes, nous nous contenterons d'en souligner deux qui nous apparaissent plus importantes dans le contexte de cette recherche. Il faut:

- que les agents de crédit soient «économiquement rationnels», c'est-à-dire qu'ils ne doivent pas se laisser influencer par d'autres facteurs que la seule rentabilité du projet. Pour mentionner un exemple qui semblera évident, le sexe de l'emprunteur ne doit pas modifier ses critères d'octroi d'un prêt
- que l'information nécessaire à l'évaluation d'un projet et à la prise de décision soit disponible pour tous, et ce à un coût raisonnable.

Ces deux conditions nécessaires à l'efficience des marchés sont-elles présentes lorsque les agricultrices entreprennent des démarches visant à l'obtention d'un prêt?

Traitons d'abord de la rationalité économique des agents de crédit. Ces derniers exigent-ils plus de garanties lorsque ce sont les femmes qui empruntent? Que nous disent les femmes de notre échantillon sur ce point? 17 femmes, soit 65% d'entre elles nous ont dit avoir eu à fournir beaucoup de garanties mais qu'elles ne pensaient pas avoir eu besoin d'en donner plus qu'un homme dans les mêmes circonstances; cinq de ces 17 femmes ont souligné que cette exigence était un problème aigu pour les femmes puisqu'en général elles n'ont aucun bien à offrir en garantie. Le tableau VII illustre très bien d'ailleurs cet aspect de la situation. Mentionnons ici le cas des co-propriétaires. Plusieurs d'entre elles ont acheté «à deux» la terre du «beau-père» à un prix bien inférieur à la valeur marchande de cette dernière. À ce moment, la valeur des garanties qui sont offertes est bien supérieure au montant emprunté, ce qui peut expliquer en grande partie la facilité avec laquelle ces femmes ont accédé au financement. Enfin, mentionnons que 3 femmes sur 26 disent qu'elles ont eu à donner plus de garanties parce qu'elles étaient des femmes et que 5 femmes n'ont tout simplement pas mentionné ce point des garanties exigées.

À cause de cette incapacité de la plupart des femmes à fournir des garanties, la plupart ont eu besoin d'un endosseur pour obtenir un prêt. C'est une situation qui exaspère beaucoup de femmes. Pour utiliser une de leurs expressions: «Moi, mon mari signe pour moi, mais moi, je ne signe jamais pour lui».(12)

Un autre point qui a été mentionné à quelques reprises par les femmes, c'est la mise en doute par les agents de la compétence des femmes à gérer la ferme et de leur autonomie pour l'accomplissement de certaines tâches jugées «masculines», comme la réparation du tracteur par exemple. L'argument utilisé ici est le suivant: si ça casse, la femme devra faire venir un réparateur; ses coûts d'opération seront plus élevés et la ferme sera moins rentable, d'où plus de risques pour le prêteur.

Il semble donc que les prêteurs se laissent parfois influencés par le fait que l'emprunteur soit une femme. Les femmes ont souvent l'impression qu'elles ont quelque chose de plus à prouver. D'ailleurs, le fait qu'autant de femmes nous aient dit qu'elles

(12) Lise Pilon-Lê, «Les agricultrices au Québec: leurs luttes pour la reconnaissance dans le contexte actuel», *Le mouvement des femmes en agriculture au Québec,* Les cahiers de recherche du GREMF, n° 14, p. 18.

ont pu obtenir le prêt uniquement parce qu'elles connaissaient l'agent semble confirmer cette hypothèse. Lorsque les agents connaissent les femmes, ils sont prêts à les considérer sur le même pied que les hommes.

Parlons maintenant de la deuxième condition mentionnée précédemment, soit la disponibilité de l'information.

Les femmes ont-elles l'impression qu'elles manquent d'information?

Beaucoup de femmes nous ont dit qu'effectivement, il était difficile pour les femmes d'obtenir l'information (difficultés d'assister aux sessions de formation, complexité, étant donné leur intérêt relativement récent pour ce sujet). Il faut également mentionner cependant que beaucoup de femmes ont affirmé être très à l'aise avec les questions financières ou qu'elles se sentaient capables de le devenir. C'était une question de temps selon elles. Ce seul point du manque d'information et de formation ne pourrait donc pas expliquer les difficultés d'accès au crédit. Soulignons le commentaire qui est revenu très fréquemment au sujet de la «paperasse» exigée par l'OCAQ et le problème des délais avant d'avoir la réponse de cette dernière. Pour donner une idée de l'ordre de grandeur des délais, notons ici que l'obtention d'une réponse au bout de six mois est considérée comme rapide.

En conclusion de cette section sur les obstacles financiers, nous dirons donc qu'il semble effectivement plus difficile pour une femme seule d'accéder au financement d'une entreprise agricole. Il faut cependant ajouter qu'un ensemble de raisons peut justifier cet état de fait, y compris la taille des exploitations (et peut-être leur rentabilité) mais également l'attitude des agents de crédit à leur égard.

CONCLUSION

Notre objectif était d'apporter un éclairage original à la question de l'accès à la propriété des femmes en agriculture et des obstacles limitant cet accès, par un double volet, sociologique d'une part et financier d'autre part.

À notre avis, cette question est complexe et les deux ordres de phénomènes interagissent étroitement de sorte qu'il est difficile de les dissocier. L'analyse a en effet démontré que les obstacles d'ordre financier, bien qu'importants et réels, sont partiels et doivent être greffés à des obstacles d'ordre socio-culturel pour expliquer la sous-représentation des femmes dans la propriété agricole.

La taille réduite de l'échantillon de cette recherche exploratoire ne permet cependant pas de généraliser les résultats à l'ensemble des agricultrices québécoises, mais de déceler plutôt quelques grandes tendances.

Ces tendances font ressortir à quel point les difficultés liées tant à des pratiques institutionnelles (institutions financières, agricoles ou autres) qu'à une idéologie conservatrice et patriarcale des divers acteurs impliqués, pouvaient entraver les gains de l'agriculture en termes de reconnaissance, d'égalité et de pouvoir et par conséquent sa «qualité de vie» en agriculture.

Aller à l'encontre de telles résistances demande en effet d'être sur le qui-vive constamment, «mine l'énergie» et a un effet «démoralisateur» selon nos répondantes. Une détérioration de la qualité de vie de l'agricultrice ne peut qu'en découler! Or, l'importance d'une meilleure qualité de vie dans un environnement familial, autonome et à «dimension humaine» revient comme un leitmotiv dans les entretiens avec les agricultrices.

Mais comment concilier cette préoccupation majeure des femmes en agriculture avec les exigences du système agricole orienté vers les grosses exploitations? Que penser du rapport souvent paradoxal de l'agricultrice avec le système économique dont elle conteste certaines valeurs dominantes? Sa vision inédite du développement agricole risque-t-elle de la marginaliser dans un système capitaliste axé sur la concentration et la spécialisation?

La question reste ouverte.

Myriam Simard, sociologue
Louise St-Cyr, comptable agréée

TABLEAU I

Régions agricoles représentées	Types de productions représentées
Bas St-Laurent et Gaspésie	Laitière
Québec/Côte du Sud	Bovine
Beauce	Porcine
Nicolet	Avicole
Estrie (Cantons de l'Est)	Maraîchère
St-Hyacinthe (Richelieu)	Acériculture
St-Jean/Valleyfield (Sud-ouest de Montréal)	Serres
Outaouais	Ovine
Abitibi/Témiscamingue (Nord-ouest québécois)	
Nord de Montréal	
Saguenay/Lac St-Jean	

TABLEAU II

SOMMAIRE DES DÉMARCHES DE FINANCEMENT DES AGRICULTRICES

	Propriétaires uniques		Co-propriét. égales ou majoritaires		Collaborat. & co-propriét. minoritaires	
Refusé	3	16 %	1	7 %	1	5 %
Obtenu après refus	3	16 %	1	7 %	2	10 %
Obtenu avec effort (ex.: endosseur exigé)	3	16 %	1	7 %	3	15 %
Obtenu car connaissait l'agent	4	21 %	0	0 %	2	10 %
Obtenu facilement	6	32 %	12	80 %	12	60 %
	19	100 %	15	100 %	20	100 %

TABLEAU III

MOTIFS DES DEMANDES D'EMPRUNT DES AGRICULTRICES

	Propriétaires uniques		Co-propriét. égales ou majoritaires		Collaborat. & co-propriét. minoritaires	
Achat d'un fonds de terre	1	0 %	1	7 %	3	15 %
Achat d'une exploitation	5	26	3	20	3	15
Rénovations et agrandissement	2	11	3	20	4	20
Animaux	1	5	1	7	1	5
Quotas	0	0	2	13	2	10
Machinerie	2	11	2	13	1	5
Autres biens agricoles	2	11	1	7	3	15
Restructuration financière	4	21	0	0	1	5
Marge de crédit	2	11	2	13	2	10
	19	100 %	15	100 %	20	100 %

TABLEAU IV

POURCENTAGE DES DÉMARCHES PAR TAILLE ET PAR CATÉGORIE DE STATUT JURIDIQUE

	Propriétaires uniques			Co-propriét. égales ou majoritaires			Collaborat. & co-propriét. minoritaires		
	P	M	E	P	M	E	P	M	E
Quantité de démarches	10	7	2	1	8	6	2	11	7
% des démarches par taille	53 %	37 %	11 %	7 %	53 %	40 %	10 %	55 %	35 %

P : petit M : moyen E : élevé

TABLEAU V

EMPRUNTEURS SOLLICITÉS PAR CATÉGORIES DE STATUT JURIDIQUE

Demandes	Propriétaires uniques	Co-propriétaires parts égales ou majoritaires	Collaboratrices ou co-propriétaires minoritaires
Institutions financières	11	5	9
OCA, SCA et CF[13]	8	10	11
TOTAL	19	15	20

(13) Office de crédit agricole, Société de crédit agricole (organisme fédéral) et Crédit forestier.

TABLEAU VI

CARACTÉRISTIQUES DES PROPRIÉTÉS AGRICOLES

	Propriétaires uniques		Co-propriétaires à parts égales ou majoritaires		Collaboratrices ou co-propriétaires minoritaires	
	moyenne	écart-type	moyenne	écart-type	moyenne	écart-type
Chiffre d'affaires	52 857 (7)*	37 240 (7)	244 227 (7)	199 214 (7)	225 682 (9)	192 886 (9)
Actifs						
— valeur comptable	38 900 (5)	26 463 (5)	909 788 (6)	628 478 (6)	535 975 (7)	448 328 (7)
— valeur marchande	98 286 (7)	51 103 (7)	856 432 (8)	848 960 (8)	567 000 (10)	464 418 (10)
Coût à l'achat	20 000 (7)	21 918 (7)	278 786 (7)	412 774 (7)	143 222 (9)	97 735 (9)
Revenu net/ventes	8,94 % (7)	40,60 % (7)	2,60 % (6)	44,50 % (6)	12,82 % (9)	17,39 % (9)
Ventes/actifs	1,50 (5)	0,78 (5)	0,29 (5)	0,15 (5)	0,79 (7)	0,72 (7)
Revenu net/actifs	23,09 % (5)	52,01 % (5)	4,62 % (4)	7,89 % (4)	3,70 % (7)	5,95 % (7)
% d'opérations contingentées	0 %		80 %		50 %	

* Les chiffres entre parenthèses représentent le nombre d'observations avec lequel les statistiques ont été calculées. Malheureusement certaines données n'ont pu être obtenues des agricultrices interrogées.

TABLEAU VII

AVOIRS POUVANT ÊTRE DONNÉS EN GARANTIE (EXC. FERME)

	Propriétaires uniques		Co-propriétaires égales ou maj.		Collaboratrices & co-prop. min.	
Terrains	0	0 %	0	0 %	1	10 %
Maison	2	25 %	1	13 %	1	10 %
Meubles	2	25 %	2	25 %	2	20 %
Auto	0	0 %	0	0 %	0	0 %
Placements et REÉR	0	0 %	2	25 %	3	30 %
Autres	2	25 %	0	0 %	0	0 %
Aucun bien	2	25 %	3	37 %	3	30 %

BIBLIOGRAPHIE SÉLECTIVE

BARTHEZ, Alice, « Le travail familial et les rapports de domination dans l'agriculture », *Nouvelles Questions Féministes*, 5, 1983, pages 19-46.

BELCOURT, Monica, Ronald J. BURKE et Hélène LEE-GOSSELIN, *Une cage de verre: les entrepreneures du Canada*, Conseil consultatif canadien sur la situation de la femme, 1991, 101 p.

BIRCH, L.M., « Réflexions sur la valeur économique du travail des femmes en agriculture », Conférence au 5e colloque régional des agricultrices de la Côte du sud, mai 1989, 12 p.

BOIVIN, Michelle, « Les agricultrices : un travail à reconnaître sur les plans juridique et économique », dans *Place aux femmes dans l'agriculture*, Conseil consultatif canadien sur la situation de la femme, Ottawa, 1987, pages 53-94.

BREALY, MYERS et CHARETTE, *Principes de gestion financière des sociétés*, McGraw-Hill, 1984, 886 p.

BURKE, Ronald J., « Women in Management in Canada : Past, Present and Future Prospects. *Women in Management Review and Abstracts*, vol. 6, n° 1, 1991, p. 11-16.

CALDWELL, Gary, « La surcapitalisation de l'agriculture québécoise et l'idéologie de l'entreprise », *Recherches sociographiques*, volume XXIX, n° 2-3, 1988, pages 349-371.

COHEN, Yolande (sous la direction de), *Femmes et politique*, Montréal, Le jour, 1981, 229 p.

COLERETTE, Pierre, Paul G. AUBRY, *Femmes et hommes d'affaires, qui êtes-vous? Un portrait des gens d'affaires*, Montréal, Agence d'Arc Inc., 1988, 177 p.

COLERETTE, P., Paul G. AUBRY, *Le profil de la femme d'affaires au Québec en 1986*, Centre de la PME, Université du Québec à Hull, avril 1987, 71 p.

Conseil consultatif canadien sur la situation de la femme, *Place aux femmes dans l'agriculture*, Ottawa, 1987, 238 p.

Conseil consultatif canadien sur la situation de la femme, *Pour le meilleur et pour le pire... une étude des rapports financiers entre les époux*, Ottawa, 1984, 98 p.

COPELAND, T., F. WESTON, *Financial Theory and Corporate Policy*, Addison-Wesley Publishing Co., Second Edition, 1983, 618 p.

DAGENAIS, Huguette, « Les femmes et le pouvoir dans le domaine de la santé », dans *Les femmes et la santé*, sous la direction de Colette Gendron et Micheline Beauregard, Chicoutimi, Gaëtan Morin Éditeur, 1985, pages 107-118.

DAVID-MCNEIL, Jeanine, « Une lente ascension vers l'égalité, défi des travailleuses québécoises », Cahier de recherche 91-04, Groupe femmes, gestion et entreprises, École des H.E.C., 26 p.

DEBAILLEUL, Guy et Philip EHRENSAFT (sous la direction de), « Le complexe agro-alimentaire et l'État », Cahiers de recherche sociologique, département de Sociologie de l'UQAM, vol. 5, n°1, 1987, 158 p.

DES RIVIÈRES, Marie-José, « Pour que se continue la réflexion, théories et méthodes féministes », dans *Les femmes et la santé*, sous la direction de Colette Gendron et Micheline Beauregard, 1985, pages 119-129.

DESCARRIES-BÉLANGER, Francine, *L'École rose ... et les cols roses*, Éditions Saint-Martin, 1983, 128 p.

DION, Suzanne, *Les femmes dans l'agriculture au Québec*, Longueuil, Les éditions La Terre de chez nous, 1983, 167 p.

DION, Suzanne, « Les effets de la crise de l'agriculture sur les familles et les communautés agricoles », deuxième conférence nationale des femmes en agriculture, I.P.E., 1985, 16 p.

« Documentation sur la recherche féministe »/« Resources for Feminist Research », *Les femmes dans la production agricole et la société rurale/Women and Agricultural Production*, vol. 11, n° 1, mars 1982, 198 p.

Fédération des agricultrices du Québec (FAQ), « Une discrimination positive en faveur des agricultrices de 40 ans et plus », Mémoire présenté à M. Michel Pagé, Ministre, ministère de l'Agriculture, des Pêcheries et de l'Alimentation du Québec, Longueuil, 1989, 28 p.

Fédération des agricultrices du Québec (FAQ), *Incidences fiscales au moment du partage d'actifs entre conjoints et durant la co-exploitation*, 1989, 36 p.

Fédération des agricultrices du Québec (FAQ) en collaboration avec le groupe de recherche multidisciplinaire féministe de l'Université Laval (GREMF), *La qualité de vie des femmes en agricultures : faits saillants d'une recherche*, 1988, 39 p.

Fédération canadienne de l'entreprise indépendante, *Les banques et les femmes : les rapports entre les banques et les femmes propriétaires de PME au Canada*, 1988, 25 p.

GAGNON, Francine et Catherine LORD, « Patrimoine familial : ne signez rien les yeux fermés », *La Gazette des femmes*, Québec, Conseil du statut de la femme, vol. 11, no 4, novembre-décembre 1989, pages 17-27.

GENDRON, Colette et Micheline BEAUREGARD (sous la direction de), *Les femmes et la santé*, Chicoutimi, Gaëtan Morin éditeur, 1985, 129 p.

GLENN MATTHEWS, Jane, *Structures agricoles et législation québécoise*, Cowansville, Les éditions Yvon Blais inc., 1988, 163 p.

HAMEL, Daniel, *Portrait de la co-exploitation agricole au Québec*, Faculté des sciences de l'agriculture et de l'alimentation, économie rurale, Université Laval, Québec, 74 p.

HAREL-GIASSON, Francine, Marie-Françoise MARCHIS-MOUREN et Louise MARTEL, « Identité professionnelle et identité maternelle chez les jeunes femmes experts-comptables », Psychologie du travail. Nouveaux enjeux, développement de l'homme au travail et développement des organisations, Actes du Ve congrès de psychologie du travail de langue française, Paris, éditions E.A.P., 1989, p. 758-764.

LANGUEDOC, Colin, « Study Profiles Female Entrepreneur-Women Say They Have Tougher Time in Dealing With Banks Than Men », *Financial Post*, 2 février, 1990, page 11.

LAVOIE, Dina, *Les entrepreneures : pour une économie canadienne renouvellée*, Ottawa, Conseil consultatif canadien sur la situation de la femme, 1988, 64 p.

MARCHIS-MOUREN, M.F., *Women Entrepreneurs World Wide : a Research Review*, HEC, janvier 1989, 61 p.

Ministère de l'Agriculture, des Pêcheries et de l'Alimentation du Québec, Direction des communications, *Agricultrice ges-*

tionnaire, guide d'établissement et de gestion pour les agricultrices, Québec, 1987.

Ministère de l'Agriculture, des Pêcheries et de l'Alimentation du Québec, Bureau de la répondante à la condition féminine, *Du partage des tâches au partage des pouvoirs, Rapport du groupe de travail sur l'accès à la propriété*, Québec, 1986, 11 p.

Ministère de l'Agriculture, des Pêcheries et de l'Alimentation du Québec, Direction de la planification, Service de l'orientation des politiques et programmes, *Le financement agricole au Québec, État de la situation*, Québec, 1985, 147 p.

MORISSET, Michel, *L'agriculture familiale au Québec*, Paris, Éditions l'Harmattan, 1987a, 206 p.

MORISSET, Michel et Isabelle ETHIER, « Le travail des femmes en production laitière », Groupe de recherche en économie et politique agricoles, Département d'économie rurale, Université Laval, 1987b, 53 p.

PILON-LÊ, Lise, *Logique productiviste contre logique paysanne : la transmission des fermes spécialisées au Québec*, document non publié, Département d'Anthropologie, Université Laval, 1985, 20 p.

PRÉVOST, Nicole et al., *Les femmes sur le chemin du pouvoir*, Québec, Conseil du statut de la femme, 1988, 99 p.

RIOUX, Marcel et Yves MARTIN, *La société canadienne-française*, Montréal, Hurtubise HMH, 1971, 398 p.

ROBERT, Hélène, Lise PILON-Lı et Huguette DAGENAIS, « Le mouvement des femmes en agriculture au Québec », Québec, Les cahiers de recherche du GREMF, n° 14, 1987, 28 p.

ROSE-LIZEE, *Portrait des femmes collaboratrices du Québec*, Québec, Association des femmes collaboratrices, 1985, 154 p.

SHAVER, Frances, « Women and the Farm Family in Canada : a State of the Art Review », congrès de l'ACFAS, mai 1989, 35 p.

SHAVER, Frances, « Projet Cap-Saint-Ignace, Farm and Non-farm Women in Rural Quebec a Preliminary Analysis », Research Report n° 8, Concordia University, 1980, 47 p.

SHAVER, Frances M., recension de «Growing Strong: Women in Agriculture», RFR/DRF, volume 17, n°2, juin 1988, pages 51-52.

SHAVER, Frances M., «Le travail des femmes à la suite des transformations de la production agricole: 1940-1980», thèse de doctorat, département de sociologie, Université de Montréal, mai 1987, 229 p.

SIMARD, Anne, «L'égalité économique des époux», huit fiches sur la nouvelle Loi favorisant l'égalité économique des époux par le Bureau de la Répondante à la condition féminine, *La Terre de chez nous*, octobre à décembre 1989, 8 p.

SIMARD, Myriam et Louise ST-CYR, «L'accès à la propriété et au financement agricoles au Québec: obstacles financiers et socio-culturels», Cahier de recherche 91-01, Groupe femmes, gestion et entreprises, École des H.E.C. de Montréal, août 1990, 140 p.

SMITH, Pamela, «La contribution des femmes à l'agriculture: la face cachée des statistiques» dans *Place aux femmes dans l'agriculture*, Conseil consultatif canadien sur la situation de la femme, Ottawa, 1987, pages 131-222.

Société québécoise de science politique, «Femmes et pouvoir», *Politique*, Montréal, SQSP, n°5, hiver 1984, 170 p.

TROTTIER, Mariette, «La situation économique des productrices agricoles au Québec», Mémoire de maîtrise, Université du Québec à Montréal, avril 1984, 168 p.

TURCOTTE, Claude, «La ferme familiale fait place à l'entreprise bi-familiale», *Le Devoir*, 16 janvier 1990, page 10.

VANDÉLAC, Louise et al, *Du travail et de l'amour: les dessous de la production domestique*, Montréal, Albert Saint-Martin, 1985, 418 p.

WARING, Marilyn, *If Women Counted, A New Feminist Economics*, San Francisco, Harper & Row Publishers, 1988, 386 p.

WEINGARTNER, Martin H., «Capital Rationing: N Authors in Search of a Plot», *Journal of Finance*, volume XXXII, n°5, décembre 1977, pages 1403-1431.

Women for the Survival of Agriculture, «Quelle est votre valeur?: une étude sur la contribution économique des agricultrices de l'est de l'Ontario à l'exploitation des fermes familiales», 1985, 76 p.

LÉGISLATIONS

Charte des Droits et Libertés de la Personne, L.R.Q. c C-12.

Loi modifiant le Code civil du Québec et d'autres dispositions législatives afin de favoriser l'égalité économique des époux, L.Q. 1989 c 55.

Loi sur le financement agricole, L.Q. 1987, c 86.

Loi favorisant la mise en valeur des exploitations agricoles, L.Q. c M-36.

MARIE-ANNE RAINVILLE

5

ARMANDE... «JE NE SUIS PAS NÉE DANS LA BONNE GANG!»

Il y a déjà vingt ans, Armande Saint-Jean rêvait de devenir productrice agricole et d'en vivre. Ce rêve, elle le faisait depuis l'enfance où, déjà, elle et sa soeur demandaient à leur mère, devenue veuve trop tôt d'un fils de fermiers perdu en ville, d'aller vivre sur une terre. À la fin de l'adolescence, elle rêvait de voyager et couvrir le monde entier, et aussi de s'installer à la campagne. « C'est tellement contradictoire et pourtant ç'a été les deux voies de ma vie et ce l'est toujours. »

Armande Saint-Jean, c'est une journaliste de vingt-cinq ans de métier avec autant d'expérience en presse écrite qu'en presse électronique.

Armande Saint-Jean habite l'Estrie depuis 1973. Mère depuis 1974, elle s'est battue onze ans pour devenir productrice agricole. Elle a investi son coeur, son temps, sa compétence et deux cent mille dollars dans ce projet. Elle a bâti sa maison, sa grange, sa laiterie et son garage, toute seule. De 1976 à 1979, au bout de ses ressources financières, la fermière reprend du service à **Présent** à la radio de Radio-Canada. Son horaire quotidien : faire le train, lever son fils Charles, le conduire à la garderie, prendre l'autobus pour Montréal depuis Magog, faire sa réunion de production pour être en ondes à midi, reprendre l'autobus, reprendre Charles à la garderie, faire le souper, le train... aller au lit.

« Ce qui m'a arrêtée, c'est pas que j'étais tannée. C'est l'impôt qui m'a tombé dessus. Ils ont eu ma peau sur la base que ma ferme ne serait jamais rentable ; donc je n'avais plus le droit à des déductions fiscales, ni dans l'avenir ni pour le passé. » Leurs motifs, selon elle, tournaient autour du fait qu'elle était une femme seule qui ne venait pas de la campagne et qui travaillait à l'extérieur. « Mais surtout, j'étais une intellectuelle urbaine recyclée. » Ce qui me rend amère, c'est que si j'avais décidé de partir un salon de coiffure, un dépanneur, un bar, un restaurant, etc., j'aurais réussi. L'agriculture, pour en vivre, c'est un milieu fermé, un univers clos, enrégimenté, où l'on hérite de sa terre et où l'on est agriculteur de père en fils. Je suis obligée de me rendre à l'évidence : je ne suis pas née dans la bonne « gang », tant pour les gouvernements, les associations de producteurs que pour le village.

« Après une parenthèse de trois ans à la ville, nos blessures cicatrisées, il nous faut rentrer chez nous avec un autre projet plus modeste et des jobs en ville. » Son homme, son fils et elle doivent retourner habiter leur terre dans douze ou dix-huit mois.

Sa victoire : son fils, né et élevé à la campagne, rêve d'être vétérinaire !

Marie-Anne Rainville, été 1988.
Conseillère en communications

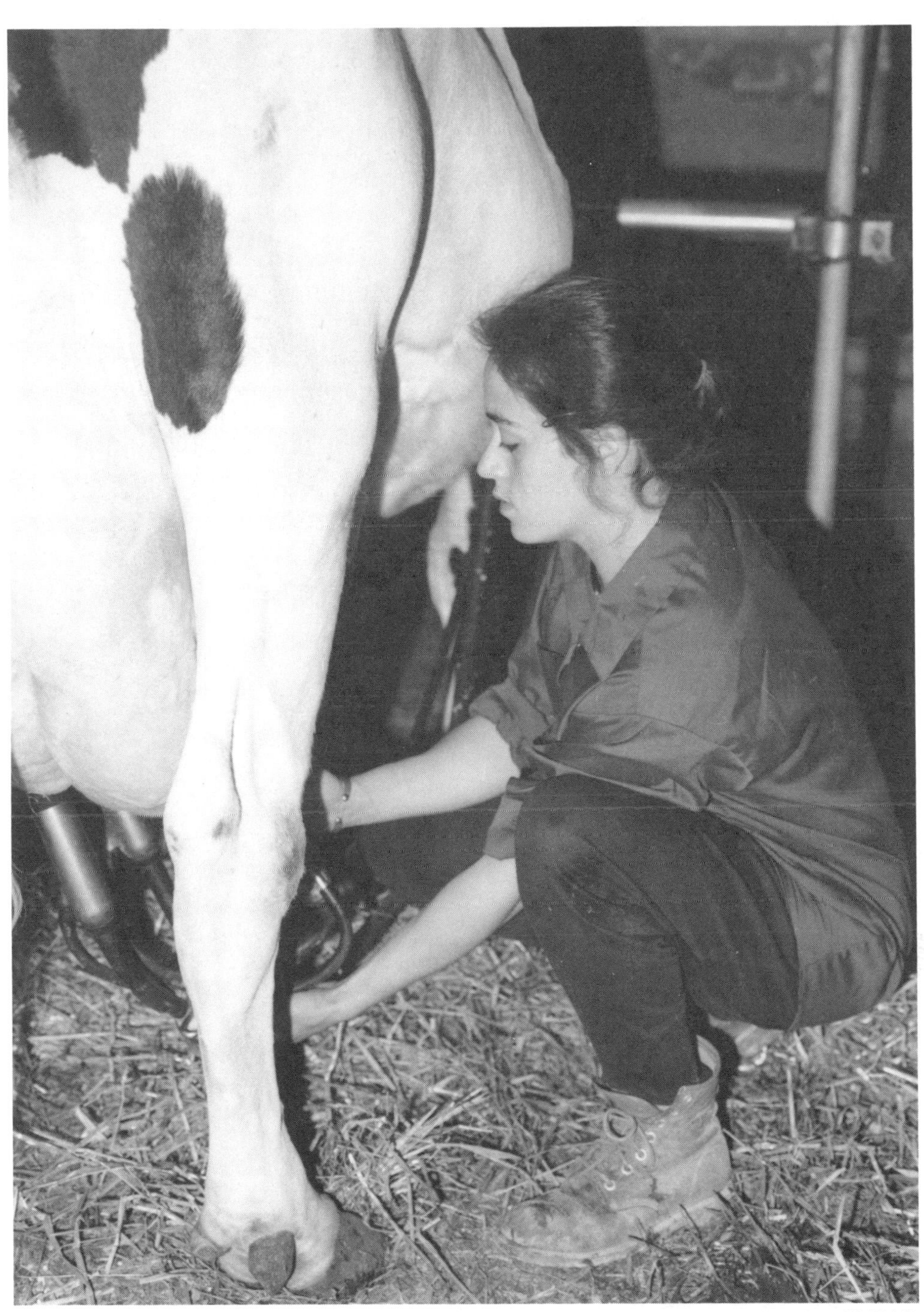

PHOTO : GRACIEUSETÉ DU MAPAQ

Le rôle déterminant du ministère de l'Agriculture,
des Pêches et de l'Alimentation mérite d'être souligné.
Le Ministère a soutenu les agricultrices dans leurs revendications
au point de départ, en apportant un soutien financier et technique
qui leur a permis de s'organiser. C'est le premier organisme qui a
cru à l'importance de la participation des femmes au devenir
de l'agriculture au Québec. Pour en témoigner, laissons la parole
au Bureau de la répondante à la condition féminine et à la famille.

ANNE SIMARD

6 DU PARTAGE DES TÂCHES AU PARTAGE DES POUVOIRS

Le ministère de l'Agriculture, des Pêcheries et de l'Alimentation du Québec a entrepris une tâche imposante, celle d'outiller la démarche des agricultrices pour la reconnaissance de ce qui a toujours été leur profession. Le slogan « Du partage des tâches au partage des pouvoirs » illustre bien l'ampleur du défi.

En 1985, en nommant la première répondante à la condition féminine, le Ministère reconnaissait l'importance du travail des femmes dans l'entreprise agricole et répondait aux besoins maintes fois exprimés par les agricultrices.

Depuis quelques années déjà, les femmes manifestaient une volonté de s'organiser en se dotant d'un outil de communication et de pression. C'est ainsi que fut créé, en 1984, le Comité provincial provisoire des femmes en agriculture (CPPFA) et ses comités régionaux. Le Ministère a rapidement consenti à fournir un support significatif pour aider cette organisation naissante à se développer.

Dès le début de l'année 1986, le premier plan d'action ministériel en matière de condition féminine est lancé. Celui-ci est élaboré en concertation avec le Comité provincial provisoire des femmes en agriculture.

À cette époque, des préoccupations essentiellement économiques influencent ce plan d'action. Les femmes demandent l'accès aux revenus, à la propriété, aux avantages sociaux et aux organismes agricoles en échange de leurs investissements en temps de travail, en argent et en compétence. Ces préoccupations sont vite devenues les grands axes d'intervention du Bureau de la répondante à la condition féminine qui voit à la réalisation du plan ministériel.

C'est par de la recherche, des consultations, un soutien financier et de l'animation du milieu que s'organise l'action. Celle-ci, concertée avec le Comité provincial provisoire des femmes en agriculture, vise de plus à identifier une structure, un statut juridique permettant aux agricultrices du Québec de répondre à leurs besoins collectifs.

En 1986, les comités régionaux font place à une structure syndicale régionale pour donner naissance, en 1987, à une Fédération des agricultrices (FAQ) reconnue au sein de l'Union des producteurs agricoles (UPA).

DES PRODUITS POUR LA CLIENTÈLE

De la formation

Afin de faciliter la participation des agricultrices aux activités de leur syndicat et aux organismes du monde agricole, un programme de formation de «leaders» est mis en place. Il a regroupé, à ce jour, plus de quatre cent (400) participantes.

Une présence en région

Afin d'assurer une présence plus active et continue en région, un réseau de répondantes et de répondants à la condition féminine est établi dès 1986 dans les 12 bureaux régionaux du MAPAQ. Un réseau qui, aujourd'hui, se sent davantage partenaire et a à coeur de mieux faire comprendre les intérêts des agricultrices auprès des intervenants du milieu agricole.

L'AGRICULTRICE, PROFESSIONNELLE DE L'AGRICULTURE

Société, compagnie... L'agricultrice devient partenaire

En 1986, le Ministère, par une modification à la Loi sur le financement agricole, favorise l'établissement des conjointes de moins de 40 ans. Avant, celles-ci voyaient leurs efforts d'accès à la propriété entravés par une clause discriminatoire.

Depuis lors, le nombre d'agricultrices ayant des titres de propriété est passé de 4 951 à 10 414 en 1991. En cinq ans, le nombre d'agricultrices propriétaires ou copropriétaires a plus que doublé.

Plus récemment, en 1990, par un programme d'accès à la propriété, les agricultrices de 40 ans et plus voient faciliter, à leur tour, le partage des actifs de l'entreprise. Près de 800 nouvelles propriétaires viendront gonfler les rangs de celles qui détiennent déjà des titres de propriété dans les entreprises agricoles québécoises.

Agricultrice gestionnaire

Une série de sept brochures a été publiée pour supporter l'agricultrice dans son cheminement vers la coexploitation. Il s'agit d'un outil de réflexion qui facilite, entre autres, la communication entre partenaires, la prise de décision à deux, l'évaluation d'un projet d'établissement. Ce guide constitue toujours un compagnon valable dans une démarche vers la coexploitation tant pour l'agricultrice que pour l'agriculteur.

Une profession à conquérir

À travers tout ce cheminement, le gain le plus important pour les agricultrices est de s'être approprié une profession, de lui avoir donné ses lettres de noblesse.

Cette affirmation est ressentie par les 200 participantes au colloque « Changer l'agriculture ou s'intégrer ». Cet événement organisé par le Groupe de recherche en économie et politique agricoles (GREPA) en étroite collaboration avec le Bureau de la répondante à la condition féminine permet aux agricultrices de vivre une solidarité, d'exposer à un large public la contribution économique qu'elles apportent au monde agricole et enfin d'entrevoir tout le chemin qu'il leur reste à parcourir pour exercer pleinement leur profession d'agricultrice et être reconnues comme des professionnelles du domaine.

Être partenaire, c'est aussi se former

L'agricultrice réclame, afin de devenir une partenaire à part entière, une formation professionnelle reconnue, certifiée et de qualité.

La priorité accordée à la formation professionnelle chez les agricultrices émerge de l'ensemble des données recueillies lors d'une tournée provinciale effectuée en 1987-1988. On constate alors que les femmes constituent 32 % de la clientèle adulte en formation agricole pour cette même année. La tournée atteint son point culminant par la tenue d'un autre colloque à l'automne 1988 sur « Les agricultrices et la formation professionnelle ». Neuf actions possibles et réalisables sont dégagées ; actions à être entreprises par des groupes spécifiques ou encore qui relèvent de la responsabilité individuelle.

Une clé pour la copropriété

Malgré l'existence de ces différentes mesures, la négociation avec le conjoint relève parfois de l'art de l'impossible. Il faut convaincre et démontrer. Un argument s'impose : faire un transfert d'actifs entre conjoints sans qu'il y ait d'incidences fiscales et dans certains cas avec une réduction du fardeau fiscal.

Voilà le défi commun que se sont donné la Fédération des agricultrices et le Bureau de la répondante à la condition féminine au cours de l'année 1989. Il en résulte la publication de la brochure « Incidences fiscales au moment du partage d'actifs entre conjoints et durant la coexploitation ». Ce document innovateur permet aux agricultrices et aux agriculteurs du Québec de définir des termes plus avantageux en matière de propriété du capital ainsi que d'enrichir le dialogue nécessaire au partage d'actifs au sein de leur entreprise.

Enfin, pour diffuser davantage son contenu auprès des intervenantes et intervenants du milieu, des rencontres d'information et de formation sont organisées en région. Jusqu'à maintenant ces sessions ont rejoint environ 200 personnes découlant du partenariat entre les Directions régionales, les Syndicats de gestion et l'Office du crédit agricole.

Aller plus loin avec les agricultrices

En 1990, le Bureau ajoute le volet « famille » à son programme. Ce nouveau rôle consiste à coordonner les activités nécessaires au développement futur de la politique familiale au sein du Ministère. Par ailleurs, le Bureau de la répondante à la condition féminine et à la famille poursuit une réflexion de fond dont le but est l'élaboration du nouveau plan d'orientations ministérielles en matière de condition féminine.

Afin d'enrichir la réflexion nécessaire au renouvellement de celles-ci, il a entrepris une large consultation menée sur deux plans. Le premier réunit autour de tables de réflexion plusieurs intervenantes et intervenants du milieu agricole. Le second sonde directement les agricultrices québécoises par le biais d'une enquête téléphonique. D'ailleurs, pour la première fois de sa jeune existence, le Bureau s'est enfin donné une écoute directe des besoins et des commentaires des agricultrices par le biais de ce sondage téléphonique. Cette grande oreille dirigée directement et personnellement vers « Madame l'agricultrice » révèle le souci de rejoindre, de plus en plus, les agricultrices qui n'adhèrent à aucun regroupement.

La vaste consultation revêt une importance majeure puisqu'elle permet de sonder la portée des interventions passées et futures. Elle vise aussi l'évaluation des services apportés aux agricultrices. Par l'analyse du milieu, elle rend valides ou désuets les six objectifs élaborés à l'origine et qui ont toujours cours en 1991. Enfin, si nécessaire, elle permettra d'ajouter et de définir de nouveaux objectifs qui répondent à l'évolution de la situation.

L'agricultrice, une partenaire professionnelle

Depuis le début, les valeurs qui animent les actions du Ministère sont la reconnaissance économique du travail des femmes en agriculture et une implication plus grande de celles-ci dans les prises de décision concernant le fonctionnement et le développement de l'entreprise. En agriculture, la problématique féminine demeure fortement imbriquée dans celle de la famille. Inévitablement les affaires de la famille interviennent dans celles de l'entreprise. Dans ce contexte, les futures actions devront tendre à une revalorisation du travail des agricultrices ainsi qu'à une harmonisation des rapports entre les femmes et les hommes.

Anne Simard, agente d'information,
Bureau de la Répondante à la condition féminine et à la famille du MAPAQ

TROISIÈME PARTIE :

CONSTRUIRE SA VIE

DANIÈLE DANSEREAU

1 RÉFLEXIONS EN MARGE D'UN RETOUR À LA TERRE

Nous avions le même âge et sensiblement la même taille. Lorsque nous nous sommes rencontrées, nous étions toutes deux flanquées d'un tout jeune enfant. Je ne savais pas encore que, peu de temps plus tard, nous allions simultanément porter et donner naissance chacune à une petite fille.

De la fenêtre de ma cuisine, je pouvais observer les allées et venues autour de leur grange. D'un simple coup d'oeil de la sienne, elle savait si j'étais entrée ou sortie. On se voyait presque tous les jours et ce voisinage nous permettait chacune d'apprivoiser l'univers de l'autre.

Car malgré la juxtaposition géographique, tout nous séparait. Elle était (et est encore) agricultrice. Et moi, au fait, je ne savais pas bien ce que j'étais.

Avec son mari, elle exploitait une petite entreprise de vaches laitières, quelque part dans les Cantons de l'Est, juste en bordure des limites d'une paroisse. Leur terre était comme une île, loin de tous, même du plus proche voisin. Trois générations y cohabitaient, réunies par une complicité silencieuse: la fierté d'arracher sa vie à la terre, de s'organiser tout seuls et de ne devoir rien à personne.

Il y avait sur leur terre deux maisons, dont l'une, tout près de la grange se trouvait inoccupée.

Avec mon compagnon et notre fils, j'arrivais de la ville. Nous faisions partie de cette génération de ceux qui avaient vingt ans en 1968 et qui, naïvement, voulaient changer la vie. Études universitaires entrecoupées de remises en question, militantisme social et politique, vie urbaine trépidante. Saturée de réunions interminables, de mots d'ordre, de lignes justes et d'autocritiques, déçue par des expériences de vie communautaires non-concluantes, j'avais un besoin vital d'espace pour penser, pour respirer et pour élever mon enfant.

Sans le savoir, intuitivement, je m'inscrivais dans ce mouvement de retour à la terre, de retour aux sources. Le grand saut dans le vide. Partir sans le sou, retrouver le contact avec la nature, établir avec les gens et les choses des relations neuves.

Pour des raisons mystérieuses, qui relèvent de la logique de l'improbable, ces gens farouchement indépendants acceptaient de nous louer la petite maison près de la grange et de nous laisser vivre sur leur terre.

Vivre sur leur terre

À sept heures du matin, je commençais ma journée. Pour eux, elle allait déjà bon train. Je les voyais sortir de la grange en direction d'un petit déjeuner bien mérité. Parfois lui seul, parfois tous les deux ou avec le père; de temps en temps affublés du petit. Au bout de son bras à lui, le seau de lait frais pour la journée. Dans le champ, les vaches broutaient tranquillement. Un paysage idyllique où seul le bruit du système de nettoyage des pipelines de traite rappelait à la réalité du travail de production.

Paysage idyllique pour moi. Vie durement gagnée pour eux. J'apprenais à tous les jours, au gré des conversations, les contraintes de leur mode de vie. L'absence de loisirs, de vacances, la hantise de la maladie, d'un bris d'équipement, la soumission aux caprices du temps, la sécheresse ou le champ trop trempé. J'apprenais l'impeccabilité de leurs gestes, le souci de ne rien négliger sous peine de voir le peu de profit se volatiliser.

Je pourrais raconter des histoires, livrer des anecdotes, car à les fréquenter pendant trois ans, j'ai compris à quel point la perception de la qualité de la vie peut différer d'une personne à l'autre.

Le chauffage au bois par exemple. Pour nous c'était le paradis. La bonne odeur dans la maison, la présence réconfortante du poêle qui crépite, le bois qu'on peut couper soi-même, et tout. Pour eux, le chauffage au bois c'était l'esclavage, la corvée du cordage, la poussière dans la maison, se relever la nuit pour bourrer le poêle, les matins glaciaux. Le paradis c'était de pouvoir remplacer le chauffage au bois, de pouvoir se payer un chauffage plus propre.

Ils n'auraient pas voulu vivre ailleurs. Un jour en rigolant, il m'a dit qu'il préférerait dormir près de son tas de fumier que de vivre dans une ville ! En fait comment peut-on parler de la qualité de la vie ? Comment peut-on mettre des mots sur ces petits riens qui donnent tout à coup une allure harmonieuse aux notes cacophoniques de nos espaces-temps ? Ces petits riens qui se situent dans cet espace un peu flou, juste en bordure de nos rêves, quand on arrive à y faire coller un peu la réalité.

Qu'en était-il de leurs rêves à eux ? Un sujet sur lequel ils n'étaient pas bavards et qui concernait avant tout la vie sur leur ferme. Des rêves concrets : que les vaches donnent beaucoup, que les veaux grossissent bien, que les foins soient engrangés avant la pluie, que l'ensilage soit abondant et que le tracteur dure longtemps, qu'on puisse se payer une nouvelle charrue et, qui sait, peut-être même des vacances. Et peut-être un jour changer de ligne, comme le voisin qui avait vendu ses têtes et se lançait dans la « grande culture ».

Qu'en était-il de ses rêves à elle ? L'avenir des enfants, retaper la maison, mais surtout plus de temps à passer avec lui, son complice. Elle était rieuse et taquineuse et je les ai souvent surpris à prendre plaisir à travailler ensemble.

Oui, leur rêves à eux concernaient leur ferme, leur appartenance aux cycles des saisons et leur certitude d'être là où ils voulaient être, malgré les difficultés.

Pas de discours, de prise de conscience politique, de dénonciation de l'ordre établi. Et pourtant une connaissance exacte de la façon dont le système exploite les petits agriculteurs. Très peu d'études, même pas la fin du cours secondaire et pourtant une grande intelligence des pièges et des raffinements de la finance. La conscience de ne pas faire partie des privilégiés.

Conscients d'être différents. Payant chèrement le petit peu de pouvoir sur leur vie acquis à l'intérieur des limites de leur terre, celui de conserver un sens aux gestes que l'on pose. De vrais marginaux, qui ne prendront jamais la parole parce qu'ils savent qu'ils ne seront pas entendus, que dans les débats sociaux, on ne parle pas leur langage, que les chances sont inégales et qu'ils partent perdants.

De vrais marginaux avec à fleur de peau une grande bonté, une présence effacée mais efficace, attentive aux peines de leurs voisins. Concrètement solidaires. Des gens simples, pas ordinaires. J'avais envie de leur dire : restez comme ça, vous êtes les plus grands.

Il y a dans la vie des rencontres privilégiées. Des rencontres qu'on voudrait avoir rêvées de peur que la suite des événements n'en vienne ternir la portée.

C'était il y a quinze ans mais l'impression de ce séjour chez eux a résisté à l'épreuve de la réalité. À l'épreuve du temps.

Il m'arrive de les revoir. Il m'arrive de la revoir, elle surtout. Toujours la même. Nos yeux se croisent. Connivence. Peu de mots, quelques blagues, des nouvelles des enfants.

La qualité de la vie c'est aussi ces moments de reconnaissance où l'on peut très bien se passer de mots.

Danièle Dansereau, auteure

SUZANNE DION

2 CONSTRUIRE SA VIE

J'en connais qui ont jugé que les agricultrices ont, ces dernières années, mené tout un brouhaha inutile. D'autres pensent que ce sont elles qui portent le flambeau de l'innovation au plan du développement agricole et de la condition féminine. Tout le monde s'accorde cependant pour dire que pendant les dix dernières années, les agricultrices ont démontré une volonté peu commune de changer leur vie.

D'où vient la force qui les anime?
Pourquoi les choses sont-elles allées si vite?

Il y a l'explication économique. Il était normal qu'au moment où on réclame des engagements de la part des femmes pour le financement des entreprises, celles-ci demandent d'y avoir une participation concrète et reconnue. Il était naturel que l'accroissement des risques encourus par les entreprises agricoles et les incertitudes provenant de l'instabilité des familles déclenchent chez les femmes des réactions d'auto-protection au plan économique. Le soutien de l'État n'était pas davantage surprenant: pour s'assurer de ne pas perdre cette ressource fondamentale pour le développement de l'agriculture, le gouvernement devait favoriser leur intégration au secteur. Je crois que ces facteurs économiques ont donné de bonnes poussées dans le sens des changements souhaités par les agricultrices.

Il y a aussi l'explication sociologique. Partout on assistait à une réorganisation du rôle des femmes dans notre société. Le vent soufflait là aussi pour aider les agricultrices dans la recherche de rôles plus visibles et de pouvoirs accrus.

Il existe aussi une théorie dont se sont servis beaucoup de spécialistes des sciences humaines depuis qu'elle a été formulée par Abraham Maslow. Elle est connue sous le nom d'échelle des besoins de Maslow et tend à donner une explication psychologique de la force surprenante du mouvement des agricultrices des dernières années. Je voudrais vous la présenter ; vous allez probablement vous y reconnaître.

Les besoins de la personne humaine

Ce que la théorie de Maslow nous apprend, c'est qu'il y a chez toutes les personnes, femmes ou hommes, cinq niveaux de besoins fondamentaux que nous nous efforçons de satisfaire. C'est la satisfaction de ces besoins qui motive nos actions.

Le premier niveau comprend les éléments de base nécessaires à la vie : air, eau, nourriture, sommeil, sexe. Ce sont les besoins physiologiques. Ils ont habituellement préséance sur tous les autres, bien qu'occasionnellement une personne puisse se priver de satisfaire ses besoins physiologiques pour répondre à d'autres besoins.

Ce ne sont pas ces besoins-là qui ont motivé les agricultrices à s'organiser en syndicats et à intégrer formellement les entreprises. Mais c'est lorsque ces besoins de base sont satisfaits que l'on peut passer à un deuxième niveau.

Ce deuxième niveau comprend les besoins de sécurité. Il s'agit du désir de tout être humain de se protéger des dangers, des menaces et des privations. S'assurer d'un revenu stable, prévoir des garanties pour des périodes difficiles, établir un bon contrat de mariage, acquérir des biens durables sont des moyens de répondre à ce besoin. Le désir des agricultrices de partager les actifs des entreprises peut se situer ici. Il n'est ni l'effet du hasard, ni celui d'un caprice. Il est le réflexe normal de toute personne saine. En fait, celle qui ne pense pas à sa sécurité est un peu « décrochée ». Cette sécurité qui était autrefois garantie par le mariage doit maintenant être assurée autrement.

Généralement, lorsque les besoins physiologiques et les besoins de sécurité sont assurés, les gens sont motivés par la satisfaction de besoins sociaux; c'est le troisième niveau. Il s'agit de désirs de relations interpersonnelles, d'appartenance, d'acceptation, d'amitié, d'amour.

Les agricultrices qui ont nourri le mouvement des dernières années voyaient certainement une bonne partie de ces besoins satisfaits par leur vie de couple et leur vie familiale. Mais les relations que ce mouvement a permis de créer entre agricultrices, entre femmes ayant des préoccupations, des problèmes, des idéaux, des besoins semblables ont créé une réelle motivation. Même très à l'aise sur des fermes prospères, beaucoup d'agricultrices se sentaient isolées. Appartenir à un groupe, entretenir des amitiées, leur étaient nécessaires comme à tous les êtres humains.

Le quatrième niveau de l'échelle des besoins de Maslow correspond à la situation des agricultrices qui ont généré le mouvement. Il s'agit des besoins d'estime. Nous parlons ici d'estime de soi: confiance en soi, respect de soi, sentiments de compétence, de réussite et d'indépendance, et d'estime des autres; le fameux désir d'être reconnu. Les démarches que les agricultrices ont faites collectivement pour arriver à la formation de leurs syndicats et toutes celles qu'elles ont réalisées dans leur famille pour y changer leur statut, leur rôle, etc., leur ont permis d'acquérir une confiance en elles-mêmes dont elles avaient besoin. Mais ce qui, à mes yeux, les a le plus motivé à l'action, c'est la recherche de la reconnaissance de la société, de leur famille et surtout celle de leur conjoint. Cette recherche de reconnaissance a pu apparaître quelquefois exagérée. En fait, tout être humain, lorsque ses besoins physiologiques, de sécurité et sociaux sont raisonnablement satisfaits, recherche l'estime des autres. Que cherche donc l'agriculteur qui s'engage dans son syndicat ou son conseil municipal en sacrifiant quelque peu ses revenus? Pourquoi tel autre achète-t-il un silo ou un tracteur qui donne une image de succès sans accroître la rentabilité de l'entreprise? Peut-être ces deux-là sont-ils davantage motivés par des besoins de reconnaissance que par des besoins de sécurité, ceux-ci étant déjà assurés. Ce qui rend chez les femmes cette recherche de la satisfaction de leur besoin d'estime quelque peu surprenante, ce n'est pas qu'elles en veulent plus que les autres; c'est qu'on leur en donne moins. Les femmes donnent aux hommes cette reconnaissance; elles savent à quel point ils en ont besoin. Elles attendent qu'eux fassent la même chose pour elles. Même les demandes de certains groupes faites au gouvernement visent à satisfaire ce besoin. Évidemment, aucun gouvernement peut répondre à ce besoin-là.

Les agricultrices rencontrent là la difficulté qu'ont les hommes à reconnaître l'apport des femmes; elles se heurtent aux risques qu'ils ont l'impression de prendre. En fait, ces risques sont réels: reconnaître l'importance, les qualités, le travail de quelqu'un, c'est déjà lui donner du pouvoir. C'est aussi se rapprocher, c'est aussi créer une vraie relation.

C'est dans la recherche de cette reconnaissance qu'est, à mon avis, le moteur le plus puissant du mouvement. Le cinquième niveau de la hiérarchie de Maslow comprend les besoins d'actualisation: la réalisation de son potentiel, l'accomplissement de soi, l'expression créatrice. Les agricultrices d'un niveau de vie convenable, ayant assuré leur avenir, développé la confiance en elles-même et obtenu la reconnaissance de leur entourage, que veulent-elles encore? Comme toute personne humaine dans les mêmes conditions, elles désirent aller au bout de leurs capacités, réaliser quelque chose à laquelle elles croient. Des améliorations dans les entreprises, des changements dans les rapports entre conjoints, des comités et des syndicats, tout est en place pour répondre à ce besoin.

Ainsi, les efforts collectifs et individuels des agricultrices, leurs réussites dans leurs entreprises, leurs familles, le développement de leur organisation syndicale sont l'expression de la recherche d'une réponse à l'ensemble des besoins de la personne humaine: une recherche de vie!

On parle parfois de qualité de vie comme de quelque chose qui devrait nous être donnée, à laquelle nous avons droit. Or, c'est rarement le cas. Ma description du mouvement des agricultrices tend plutôt à prouver que ce n'est pas là leur vision. On peut y voir qu'elles ont été nombreuses à s'organiser pour améliorer leur vie.

Pendant 7 ans, j'ai eu l'occasion d'apprécier ce courage des agricultrices de mener un changement comportant de nombreux risques. Changement qu'elles poursuivaient pour elles-mêmes, en harmonie avec leur milieu de vie et au grand bénéfice de celui-ci.

Elles ont maintenant un peu plus de pouvoir. L'apprentissage de l'exercice du pouvoir est une autre aventure! Changer, c'est laisser un territoire connu où une zone de confort s'était développée pour en aborder une autre où tout est à aménager!

Suzanne Dion
Consultante en communications

Ce texte fait partie d'une communication publiée
dans Femmes et vie rurale au Québec et en Aquitaine,
Éditions de la maison des sciences de l'homme d'Aquitaine,
Centre des études canadiennes, Bordeaux, 1991.

SUZANNE DION

3 UN APRÈS-MIDI À ST-ZÉPHIRIN DE COURVAL AVEC LUCE VEILLEUX

Luce Veilleux, comme une centaine d'autres femmes à travers le Québec, a participé à la création et au développement des comités régionaux de femmes en agriculture qui ont donné naissance aux syndicats actuels. Elle a son franc parler, fait rire en faisant réfléchir et accorde son discours à son expérience. Ce qu'elle a vécu à l'intérieur du mouvement des femmes en agriculture ressemble à la trajectoire de bien d'autres femmes. Voilà pourquoi j'ai voulu la rencontrer pour vous.

Suzanne Dion — Quand es-tu arrivée ici sur la ferme de tes beaux-parents? En te mariant? As-tu vraiment choisi?

Luce Veilleux — Je n'ai pas choisi la terre, ça été comme un « adon ». J'ai travaillé dans une usine pendant sept ans. J'avais l'impression que si je faisais ça toute ma vie, je deviendrais une automate. Il n'y avait rien de créatif. J'ai travaillé un an après mon mariage et quand j'ai eu mon premier enfant j'ai fait le choix d'arrêter. Mon mari avait lui aussi un emploi. Au moment où mon beau-père a décidé de vendre sa ferme, nous avons pris la décision de venir ici. Je n'aimais pas particulièrement le travail agricole. J'avais une peur bleue des vaches. Moi, j'aime la machinerie. Mon mari a eu le tour avec moi. Il faisait les travaux qui m'intéressaient le moins et il m'envoyait sur la machinerie. Maintenant, je fais à peu près de tout. Je ne dirais pas que je recommencerais exactement de la même façon, mais je ne regrette rien.

Emprunter pour nous autres, c'était quelque chose de défendu. Alors, au début, quand on s'est installé sur la ferme on n'empruntait pas: on n'avançait pas non plus!

Pendant sept ou huit ans, on a travaillé comme des forcenés. Mon mari travaillait le soir, on n'était pas suffisamment équipé. Une de nos voisines qui avait attendu à l'âge de 45 ans avant de s'endetter, nous a dit, : «Le jour où vous allez vous endetter vous allez commencer à être bien.» J'avais tellement confiance en cette femme-là, qu'on a suivi son conseil. De toute façon, ça n'avait plus d'allure, on était épuisé. Maintenant, il faut faire attention à nos paiements mais on peut dire qu'on vit bien.

Je suis arrivée ici par amour, j'ai «tuffé» par amour et si je suis encore ici maintenant, c'est parce que j'aime ça. Le plus important dans ma vie, c'est l'amour. D'ailleurs, ça revient à la mode! Ce que quelqu'un peut faire par amour, c'est inouï.

Suzanne Dion — Au début de ton mariage, lorsque tes enfants étaient jeunes, pouvais-tu comme maintenant participer à des réunions, faire partie d'associations.

Luce Veilleux — Non, je restais chez moi. Je faisais ma petite affaire. Il fallait que je m'occupe de mes enfants. Quand les gens disent que les femmes ne participent pas, qu'elles ne vont jamais aux congrès etc... ils oublient que c'est compliqué d'y participer. Si on veut partir trois jours, il faut de l'argent et il faut du temps aussi. Ce n'est pas tout le monde qui l'a. Avant de partir pour trois jours, le frigidaire est bien rempli, le linge est propre... Quand on part, on dirait que les femmes s'organisent pour être là quand même. Moi je suis comme ça. Remarque que quand je gâte mes petits et mon mari, je me fais plaisir. C'est une manière de se faire des douceurs. Quand on donne un cadeau à quelqu'un, à qui fait-on vraiment le cadeau?

Et puis à cette époque-là, je pensais que je n'avais rien à dire. Ce sont les femmes en agriculture qui m'ont fait sortir de moi-même, parce que je n'étais jamais beaucoup sortie avant.

Suzanne Dion — Qu'est-ce-que ta participation aux groupes d'agricultrices t'a apporté de plus important?

Lucie Veilleux — Ce qui est le plus important, c'est la petite maison d'à-côté. C'est une maison que mon mari m'a donnée. S'il me l'a donnée, c'est que je me suis retrouvée à l'âge de 40 ans sans rien à moi. C'était l'époque où l'on commençait à parler d'association. Avant mes rencontres avec les agricultrices, je ne ressentais pas ce besoin-là. Après avoir vu le film «Madame, vous n'avez rien», je me suis sentie déçue de moi-même. Par contre, j'ai toujours eu confiance, comme les enfants ont confiance en leurs parents. J'ai confiance, mais en même temps, je m'organise pour que mon mariage fonctionne. Je n'ai pas eu envie d'avoir cette maison-là parce que je pensais que c'était pour aller mal un jour ; c'est tout de même une sécurité, une double sécurité. Disons qu'un microbe entre à l'étable et qu'on perd tout, moi j'ai cette maison-là et je peux y amener mon mari et mes enfants.

Et puis j'ai un salaire maintenant. Mon salaire, je le réinvestis dans la ferme. Quand je réinvestis mon salaire dans la ferme c'est enregistré. Je fais des apports en capital.

Suzanne Dion — Au plan personnel y-a-il autre chose que le mouvement des agricultrices t'a apporté?

Luce Veilleux — Ça m'a rendu plus sûre de moi. Si je suis capable de te parler comme ça aujourd'hui, c'est entièrement grâce à ça. Par exemple, maintenant je suis commissaire d'école. En acquérant plus d'assurance, j'ai commencé à penser plus à moi Je n'avais jamais pensé à moi avant. Le fait de maigrir par exemple est arrivé quasiment en même temps. Si j'essaie de m'alimenter comme il faut, j'essaie de me protéger. Après mon premier accouchement, tout le monde me disait que c'était normal que j'engraisse. Puis un jour, je me suis réveillée et je ne m'aimais plus. Je n'étais pas bien dans ma peau et je m'enfermais chez moi. Je ne me suis jamais acceptée grosse, alors je ne sortais pas. Je ne m'habillais pas parce que j'étais grosse et je ne sortais pas parce que je n'étais pas habillée. J'ai l'impression que maintenant je commence à m'appeler Luce Veilleux, à être quelqu'un. C'est fantastique quand tu suis un régime, on dirait que tu te mets à vivre. C'est une vraie jouissance.

Suzanne Dion — C'est assez étonnant de constater à quel point beaucoup d'agricultrices se voient négativement. Comment expliques-tu ça?

Luce Veilleux — Le petit couple pris sur une ferme avec ses petits sans temps pour sortir n'a pas beaucoup de contacts avec l'extérieur. Sans nouvelles idées, tout devient stagnant. Mon mari voulait cesser de participer à l'UPA à un moment donné. Je lui ai dit: «Fais pas ça, c'est bon pour toi de sortir, de t'aérer.»

Parler avec toi aujourd'hui ou sortir, rencontrer des gens ça m'aère le cerveau. Il y a des femmes qui ne parlent jamais avec personne.

Ce qui nous a beaucoup aidé mon mari et moi c'est d'avoir suivi ensemble un cours de relations humaines. En revenant on continuait à parler; on était rendu dans la cour et on discutait encore. Avant on travaillait ensemble mais on ne parlait plus. On n'avait plus besoin de parler, on avait juste à se regarder et l'autre disait oui. Alors quand, dans un couple, il y a une personne qui sort, lorsqu'elle revient, elle a quelque chose à dire. Elle apporte des idées nouvelles. En ce moment j'apprends beaucoup de choses dans les colloques, les sessions où je vais. C'est extraordinaire. Je suis très privilégiée.

Suzanne Dion — Tu as laissé ton poste au Syndicat des agricultrices de Nicolet. Y a-t-il une raison particulière?

Luce Veilleux — J'ai 45 ans et les autres ont 25-30 ans. C'est comme ça. Les femmes de 25-30 ont encore plus besoin de sortir que moi. Et puis les choses ont évolué. C'est bien beau de se faire défendre par quelqu'un d'autre mais il faut de temps en temps se défendre soi-même. C'est très bon qu'elles s'impliquent. Maintenant, je préfère aider celle qui me remplace. Ce n'est pas un devoir que je me fais. C'est un plaisir pour moi. Avec les années, on devient assez rodée dans les réunions. Ces jeunes femmes ont des idées mais sont parfois trop gênées pour les exprimer. Alors je leur demande ce qu'elles pensent et je les aide à faire valoir leurs idées dans le groupe. Il suffit juste qu'elles sortent de l'ombre une fois et elles en sont sorties pour toujours. C'est mon rôle en ce moment, un rôle d'encouragement et je me trouve bien bonne là-dedans.

Suzanne Dion — Souvent les femmes demandent de la reconnaissance de leur entourage, de la société etc. Je remarque que lorsque tu réussis quelque chose, tu es capable de t'en donner le crédit, de te donner à toi-même de la reconnaissance.

Luce Veilleux — Il y a des femmes qui, se disent toujours que ce qu'elles font: c'est normal». Pourquoi ne diraient-elles pas: «C'est pas mal bon ce que j'ai fait». Quand mon plus vieux est parti de la maison, je me suis arrangée pour ne pas me faire de la peine pour rien. J'ai réussi à ne pas en faire un drame. Je me suis trouvée très bonne de réagir comme j'ai réagi. Je suis fière de ça.

Suzanne Dion — Tu apprécies aussi ce que tu as...

Luce Veilleux — Oui, par exemple pour moi aller au restaurant, c'est des vraies vacances. Il nous arrive à mon mari et à moi d'aller faire les commissions puis d'aller manger chez le Chinois. On a tellement de plaisir à manger au restaurant en pleine semaine. Partout autour de nous, les gens sont stressés, au milieu de leur journée de travail. C'est un avantage de notre vie que j'apprécie : on est libre quand même.

Avec l'âge, je veux de plus en plus voir toutes les choses que je ne voyais pas avant. Les adultes sont parfois comme des enfants qui ont toutes sortes de jouets mais qui regardent constamment dans le catalogue et en veulent plus. Ils ne voient pas ce qu'ils ont.

Tout ne fonctionne pas toujours comme je le veux, mais je suis heureuse. J'ai décidé de vivre à ma façon, de prendre mes bonheurs à moi. Je veux avoir du plaisir : c'est d'ailleurs dans un climat de plaisir qu'on a réussi quelque chose avec les agricultrices.

Suzanne Dion

ANGÈLE ST-YVES

4 APPRIVOISER LA TECHNOLOGIE, UN DÉFI À LA MESURE DES FEMMES EN AGRICULTURE

APPRIVOISER LA TECHNOLOGIE, UN DÉFI À LA MESURE DES AGRICULTRICES

L'ère technologique est là. Trop de femmes ont tendance à ignorer ce fait qu'elles considèrent comme sans intérêt. Néanmoins, le virage technologique risque de modeler l'avenir individuel et collectif des femmes bien différemment de ce qui compose leur vécu présent. Plus que jamais auparavant un minimum de connaissances s'impose pour comprendre les changements déjà amorcés.

Les charmes et les bonheurs du passé ne peuvent faire oublier le lot d'inconfort, de famine et de travail ardu d'alors. Il n'est pas toujours regrettable d'avoir troqué l'outil pour la machine. Et s'il arrive que certaines innovations puissent paraître nuisibles plutôt qu'utiles, elles visent en grande partie à coup sûr, le progrès dans tous les domaines.

Mon engouement pour la technologie remonte à mon enfance. Fille d'agriculteurs, je ne cessais d'imaginer des engins fantaisistes pouvant réaliser les tâches que je trouvais les plus fastidieuses sur la ferme. À onze ans, je connaissais assez bien le fonctionnement du tracteur nouvellement acquis et maîtrisais les principales opérations à effectuer sur l'exploitation laitière paternelle. Ce n'est que beaucoup plus tard, alors que j'étais mère de trois enfants que j'ai pu réaliser mon rêve de parfaire mon éducation technologique et professionnelle à l'université, mue par le désir bien circonscrit de participer à l'essor technologique de mon milieu.

Car, il est bien connu que, pour garder le niveau de vie élevé que nous connaissons, nous devons développer et appliquer les meilleures technologies dans les grands secteurs, comme l'agro-alimentaire. Pour y arriver, tous les talents doivent être mis à contribution. Il serait néfaste, à ce moment-ci, que les femmes marginalisent leur rôle et perpétuent les inégalités en se tenant à l'écart du mouvement de renouveau technologique. Au contraire, elles doivent se raviser et y réfléchir dès maintenant puisque, de toute façon, l'élan est donné et il transforme fondamentalement et intimement leur vie et celle de leurs filles.

LA TECHNOLOGIE, UNE MERVEILLE !

Les merveilles de la technologie ont contribué à modifier grandement le milieu agricole : l'agriculture industrialisée a supplanté l'agriculture artisanale au cours de ce dernier siècle. Et cette évolution technologique en agriculture est destiné à maintenir un rythme fulgurant au cours des prochaines décennies. Le développement des marchés internationaux et l'apparition de nouvelles préoccupations environnementales, économiques et nutritionnelles exigeront une performance inégalée dans les entreprises agricoles. Les technologies nouvelles deviennent dès lors un support indispensable.

Si la technique existe depuis le début des temps, c'est le rythme et l'envergure de son évolution qui croissent de façon foudroyante, à présent. C'est là une nouveauté. De plus, cette technologie de pointe fait davantage appel à l'intellect des personnes qu'à leur force musculaire.

Au départ, il a fallu conquérir le feu, inventer l'outil et la roue... Ensuite, on a harnaché l'énergie de la vapeur, du pétrole, de l'électricité, bâti la machine. Plus récemment, la conquête de l'espace, le contrôle génétique, l'informatique donnent lieu à des innovations aussi multiples que variées. Et que dire du confort et du bien-être dont jouit la civilisation occidentale ? Un résultat fort apprécié du développement des meilleures technologies. Et c'est loin d'être terminé !

L'évolution technologique prend l'allure d'un processus irréversible mais elle reste domptable. Prendre conscience de cette réalité, c'est en accepter l'importance, c'est aussi accepter de s'en occuper afin qu'elle réponde adéquatement aux besoins de la société d'aujourd'hui et de demain.

L'ÉVOLUTION TECHNOLOGIQUE ET LES FEMMES EN AGRICULTURE

Partons de la période de la mécanisation. Il est connu que la mécanisation des opérations à la ferme y a bouleversé l'organisation du travail. Dorénavant, la machine allait effectuer plus vite des tâches qui jusqu'alors prenaient à plusieurs personnes de nombreuses heures à réaliser. Les femmes n'ont pas été très vives à manoeuvrer ces engins même si cette technologie a d'abord touché les travaux qui leur incombaient habituellement: binage, semis, sarclage, traite manuelle etc.

Ces techniques ont allégé leur fardeau de dur travail et furent, à juste titre, fort estimées. Cependant les femmes perdaient en même temps leurs acquis d'expérience et étaient reléguées à des activités plus accessoires, moins reconnues et moins valorisantes. Elles allaient s'occuper surtout des tâches routinières, des ouvrages de services, du travail de suppléance le plus souvent reliés aux soins des animaux, au nettoyage, à la conservation des produits de la ferme...

Et l'incidence de l'automatisation?

L'automatisation vient améliorer encore le bien-être de la main-d'oeuvre en éliminant des tâches fastidieuses ou répétitives et en réduisant les heures de travail. Grâce à ces technologies, on peut produire davantage et accroître la rentabilité de l'entreprise. De plus, les erreurs humaines sont pratiquement éliminées. Mais, attention, les activités auxquelles se livrent plus particulièrement les femmes peuvent tomber en désuétude et leur faire perdre les avantages acquis au cours des ans.

Les femmes doivent alors repartir à zéro pour assurer la valorisation de leur travail. Ne vaudrait-il pas mieux prévenir plutôt que d'essayer de se résigner stoïquement à une telle situation?

Les agricultrices possèdent des acquis.

Elles ont souvent maîtrisé par goût, par nécessité, par formation, un bagage technique important sur différentes facettes de la production agricole. Des tâches comme la traite, l'alimentation des animaux, le semis, la récolte, la conservation des fruits et des légumes ont fait et font encore partie du quotidien de plusieurs.

Souvent acquise à force de travail et d'observation sur la ferme, cette connaissance technique, bien que partielle, reste valable. Mais elle n'est pas toujours reconnue aux agricultrices. Parfois, on ose même affirmer que la technique n'est pas leur apanage. Un préjugé à réfuter et un défi à relever! Car l'agricultrice de demain devra manipuler aussi allègrement les nouvelles technologies que son aïeule maniait la pioche.

Et alors, que faire?

Face à l'évolution technologique, les agricultrices d'aujourd'hui doivent veiller au grain et demeurer capables d'utiliser les nouveaux outils offerts par la science et le progrès. Le virage technologique ne doit pas signer l'abandon définitif des tâches agricoles par les femmes. Au contraire, conscientes des changements en perspective, les agricultrices doivent prendre la pleine mesure des mutations technologiques actuelles et comprendre l'urgence d'agir là où il faut. Si la technologie condamne plus d'une activité à disparaître, elle ouvre d'autres débouchés et demande souvent plus d'implication à un autre niveau.

Il leur faut dès maintenant prendre les moyens pour bien maîtriser les connaissances techniques nécessaires aux prises de décisions quant à l'intégration et l'utilisation des nouvelles technologies dans son entreprise, qu'elle soit petite ou grande.

Est-il possible d'exercer un contrôle sur les technologies?

Pour pouvoir se servir efficacement des technologies disponibles, il est essentiel, en premier lieu, de bien situer l'entreprise où on évolue par rapport au secteur agro-alimentaire. Ensuite, on doit avoir les connaissances suffisantes pour comprendre le pourquoi et le comment des nouvelles technologies et voir où elles s'insèreront dans l'entreprise. De façon concomittante, il faut disséquer toutes les étapes du travail dans l'entreprise, voir qui en a la charge et étudier qui sera affecté ou aidé par la technologie. Le produit fini doit aussi être évalué dans ce contexte.

Ce faisant, en tout temps, les femmes peuvent profiter de leurs connaissances et expériences pour filtrer, évaluer les techniques au travers d'autres valeurs qui leur tiennent à coeur, comme le respect de la qualité de la vie, de l'environnement, la protection du patrimoine à léguer aux générations futures, la sauvegarde des relations familiales, le contrôle de l'endettement...

Dès lors, il sera plus facile de cerner les limites de la technologie, les éléments de sécurité et de changement qu'elle soustend ou auxquels elle va nous contraindre.

L'ENTREPRISE DANS LA CHAÎNE AGRO-ALIMENTAIRE

La chaîne agro-alimentaire est un concept simple. Les ressources humaines et les ressources naturelles constituent l'assise sur laquelle repose l'activité agro-alimentaire. C'est le premier maillon de la chaîne. Ensuite, les productions issues de ces ressources doivent être adaptées et de qualité appropriée pour répondre aux exigences de marchés bien diversifiés, qu'il y ait transformation ou non du produit, comme l'illustre la figure 1.

Figure 1. La chaîne agro-alimentaire

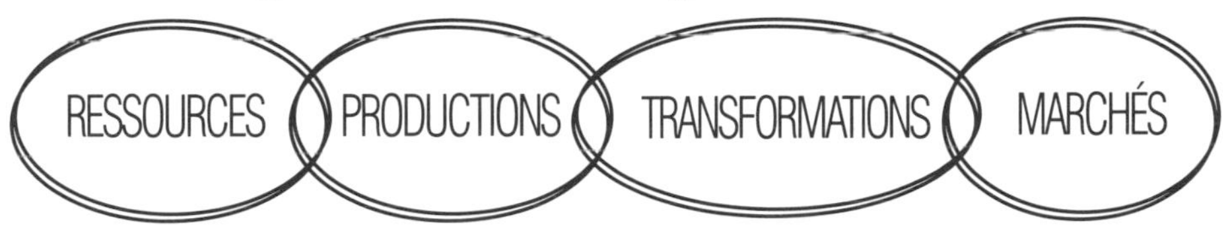

Cette suite de maillons s'applique aussi bien à la petite entreprise familiale qu'à la grande société coopérative. L'entreprise peut en comprendre toutes les composantes ou deux ou trois seulement. Par exemple, la production maraîchère est souvent entièrement sous le contrôle de l'entreprise, même petite : les légumes sont produits et vendus localement. En production laitière, par contre, les produits sont généralement transformés et vendus par une autre entreprise plus grande, etc.

Il peut être révélateur de réfléchir à la position de l'entreprise dans cette continuité, d'étudier l'influence des autres maillons sur les chaînons qu'on occupe et de comprendre l'impact de ces derniers sur les autres. Par exemple, la production laitière est influencée par la demande du marché. Ce dernier exige diverses transformations du produit original. En outre, il faut voir l'incidence de cette production sur la disponibilité de la main-d'oeuvre, sur la conservation des ressources (sol, eau, énergie, etc.) et sur le rendement des intrants sur la ferme même.

AUJOURD'HUI ET DEMAIN?

Les technologies applicables à l'agro-alimentaire s'articulent autour de ces mêmes axes que sont les ressources, les productions, les transformations et les marchés.

En principe, les ressources humaines doivent être servies par les techniques et non l'inverse. Il faut donc examiner l'amélioration que la technologie apportera au bien-être, à la santé et à la sécurité de la main-d'oeuvre, les conséquences de l'exclusion de personnel et les besoins de réorientation de ce dernier dans l'entreprise ou ailleurs.

Par ailleurs, les ressources sol, eau, énergie devront être exploitées rationnellement en vue de protéger l'environnement et le patrimoine agricole pour les générations futures. Les nouvelles techniques d'exploitation tiendront compte de ces impératifs: elles devront être fiables, flexibles, économiques, efficaces et respectueuses de la nature. De plus, elles contribueront à protéger le sol et l'eau contre toute détérioration, se feront grandes conservatrices d'énergie, utiliseront moins de pesticides, d'engrais chimiques ou autres intrants de synthèse. Elles soutiendront les efforts de recyclage et de valorisation des résidus. En agriculture comme ailleurs, économie et écologie devront se conjuguer.

Et la production?

La production profitera grandement de l'évolution de la génétique et de la maîtrise du développement et de la croissance animale et végétale.

L'avènement des hormones de croissance, le transfert d'embryons, la lutte intégrée aux ennemis des cultures, le développement de plantes fixatrices de l'azote de l'air, l'apparition de nouvelles variétés plus résistantes et mieux adaptées aux conditions climatiques du Québec, les pratiques culturales et l'élevage agro-biologiques sont des exemples de cette progression. Ces techniques permettront une maîtrise inégalée de la production.

Le développement d'équipements performants continue. On fait l'automatisation de différentes opérations dans les grands élevages: l'alimentation, la traite, la ventilation, le nettoyage, etc. Il en est de même pour l'automatisation de la régie des serres, de la cueillette de fruits, de l'irrigation... Le tracteur et les instruments aratoires téléguidés et les robots à la ferme seront nôtres dans un avenir prochain. Quelques-uns rêvent même de culture sous abri contrôlé dans l'espace!

Du nouveau dans la transformation?

Les produits agricoles peuvent être consommés tels quels ou transformés. De l'innovation est prévue à ce chapitre. Du côté des techniques de conservation traditionnelles, on connaît bien la stérilisation, le séchage, la salaison, le refroidissement, la congélation. Dans ce domaine, on voit déjà apparaître un certain nombre de techniques de conservation novatrices comme l'emballage aseptique, les fluides cryogéniques ou l'irradiation. De plus, les systèmes de manutention, de transport et d'entreposage des produits agricoles devront inclure des technologies d'avant-garde, du lieu de récolte jusqu'à la table du consommateur. Des éléments à ne pas perdre de vue!

Les biotechnologies déboucheront sur une nouvelle gamme de procédés issus de la fermentation et du potentiel enzymatique en plus des méthodes de fractionnement, de concentration, de texturisation déjà connues. La valeur nutritive des aliments et l'amélioration de la salubrité générale des produits constituent les grandes préoccupations dans le développement de la technologie de la transformation. Les consommateurs exigent des aliments sains et peu chers.

Les marchés, la fin et la finalité!

L'affirmation d'habitudes nutritionnelles plus saines, la recherche d'aliments sans résidus et la confrontation de marchés très compétitifs incitent à la création de technologies de gestion technique et économique raffinées. D'une part, le produit doit répondre à la demande du consommateur, lequel présente actuellement des besoins et des coutumes en mutation. Les proportions de la population changent rapidement: alors que le nombre des personnes plus âgées monte en flèche, le nombre des plus jeunes régresse de façon vertigineuse, chaque groupe présentant ses particularités alimentaires.

D'autre part, les marchés d'exportation, plus sélectifs, comptent aussi leurs lots d'exigences et de contraintes qui doivent être pris en considération parce qu'ils ont leur répercussion sur les autres maillons de la chaîne agro-alimentaire.

Le marché constitue un élément important à considérer puisqu'il s'agit de l'entonnoir ultime par lequel doit passer toute la production agricole.

L'AGRICULTURE BIOLOGIQUE, UNE NÉCESSITÉ ?

La progression de l'agriculture biologique pourra être accélérée si les femmes font la promotion du développement économique viable et durable des entreprises agricoles basé sur la réconciliation de l'agriculture et des exigences environnementales. Elles réclameront la technologie appropriée à cette façon de vivre l'agriculture sans pour autant devoir suer de l'aube au crépuscule pour produire des denrées d'excellente qualité.

Si l'agriculture biologique ramène les femmes aux tâches fastidieuses d'antan, sans garantir des revenus décents et une qualité de vie convenable, pour elles et leur famille, elles seront les grandes perdantes. Dans ce domaine aussi, les nouvelles technologies devront satisfaire les besoins de cette forme d'agriculture, pour la conservation des ressources, la production et la transformation des produits. Ce marché est en pleine croissance. Les femmes doivent suivre, voire orienter l'évolution de ce dossier et veiller au rôle qu'on leur y attribuera. La technologie pourra leur rendre la tâche aisée, agréable même et assurer la pérennité de ce type d'exploitation.

L'informatique, vous connaissez?

Parmi les nouvelles technologies, l'informatique prend une place de choix dans plusieurs entreprises agricoles. Car l'avènement de l'informatique permet une gestion plus immédiate et rationnelle de tous les processus énumérés, fort complexes même à échelle réduite. La micro-informatique à la ferme se développera donc bon gré, mal gré. Ce nouvel outil technique intégrateur peut révolutionner toute la gestion de l'entreprise et n'a pour limite que les logiciels qu'il ingère et l'utilisateur qui s'en sert.

Outre l'inscription de données comptables, la micro-informatique peut tenir trace des diverses opérations et cumuler les informations sur les productions végétales, les productions animales, les engrais, les pesticides, les rendements, les transports, la machinerie, l'entretien, les achats, les ventes, les conditions du marché, etc. Les informations à emmagasiner, à consulter et à traiter sont innombrables. Et mieux, ces renseignements peuvent devenir accessibles à tout moment. Des liens avec l'extérieur de l'entreprise peuvent être rapidement établis et un bilan des activités, même très techniques, dressé «sur-le-champ».

L'informatique permet d'avoir une idée juste et claire de la situation de l'entreprise et d'éviter l'à-peu-près ou le «je crois que». C'est un outil qui travaille vite. Encore faut-il savoir l'exploiter pour en tirer le maximum d'avantages.

Gérer cette banque de données techniques peut paraître fastidieux ou futile à quiconque en connaît mal la maîtrise. Par contre, le savoir-faire permet de détenir la clé pour comprendre tout ce qui se passe dans l'entreprise, en avoir une perception globale et en connaître les moindres détails au bout de ses doigts. On peut faire les rapports, faire exécuter les opérations ou apporter les correctifs désirés en temps opportun. On doit cependant pouvoir interpréter les résultats automatisés pour être apte à prendre part, en toute connaissance, aux décisions sur l'évolution de l'entreprise. Voilà un domaine où l'aliénation technique des femmes pourrait être révolue.

De plus, par le biais de l'informatique, l'élaboration d'un catalogue de toutes les activités liées à l'entreprise est indispensable. Cet exercice peut mettre en évidence certaines activités qu'on oublie habituellement de compatiliser et de valoriser par le fait même. L'ordinateur fonctionne logiquement. Il faut tout lui dire, si l'on tient à avoir des résultats fiables. Si on omet de lui signaler une opération, il ne l'exécutera pas... Par exemple, on doit lui signifier qu'il faut actionner l'alimentateur pour qu'il rende la moulée disponible aux poulets. Sinon, ce sera la disette pour ceux-ci.

LA FORMATION TECHNIQUE ET LES FEMMES EN AGRICULTURE

Des études récentes démontrent l'intérêt des agricultrices pour l'acquisition des connaissances qu'elles jugent indispensables à la bonne conduite de leurs affaires. Un excellent point! La reconnaissance du bagage technique acquis ou l'acquisition d'une formation technique adaptée aux besoins de même qu'une éducation appropriée pour leurs filles... font partie de cet arsenal. Loin d'être terrorisées par l'évolution technologique en agriculture, il faut en voir les aspects indéniablement positifs et le présenter comme tel à ses filles. L'agriculture moderne oublie peu à peu l'effort physique et fait davantage appel à une formation technique supérieure. Déjà aux États-Unis, de plus en plus d'exploitants agricoles détiennent des diplômes d'universités ou d'écoles techniques avancées. Les jeunes le savent bien, et les femmes doivent s'intégrer dans le mouvement et relever ce nouveau défi. La société ne peut se permettre de se priver plus longtemps des aptitudes techniques de la moitié de sa population. Conséquemment, le besoin d'apprivoiser les changements est impérieux pour toutes. Elles ne doivent pas se laisser dépasser ni prétendre l'incompatibilité de la technologie avec la nature féminine mais plutôt s'engager dans ces domaines du savoir et cultiver, entre elles et aussi chez leurs filles, un sentiment d'attirance vers les technologies.

Il faut éviter le piège de se limiter à n'apprendre, par exemple, que le fonctionnement du micro-ordinateur sans pouvoir interpréter ce qui en naît. Le petit pourrait se porter mal... Si la technique intimide, il faut exiger les possibilités d'apprentissage nécessaires pour la connaître, la maîtriser et l'utiliser adéquatement. Il faut poser des questions et exiger des réponses.

Parmi les moyens qui s'offrent aux agricultrices pour parfaire leurs connaissances techniques, il y a, entre autres, les conseillères et conseillers agricoles, les agronomes ou les ingénieurs qui fournissent une information technique très pertinente sur les différentes productions et technologies. Il faut les consulter lorsque des interrogations surgissent. Par ailleurs, tous les cours de formation qui se donnent localement ou par correspondance et l'arrivée de cours techniques sur vidéo restent une solution à la portée de plusieurs.

Enfin, des séances d'information peuvent servir de tremplin pour se lancer dans une technologie spécifique. De même, les médias sont d'excellents véhicules pour vulgariser certaines technologies nouvelles.

EN GUISE DE CONCLUSION...

Pour les agricultrices de demain, la reconnaissance légale et syndicale acquise jusqu'à maintemant demeurera fragile et risquera de subir des reculs si elles boudent l'engagement technique.

Aborder positivement l'ère technologique prévient l'assujettissement aveugle et insidieux des femmes à la technique et leur permet plutôt d'inventer des moyens inédits d'appliquer les techniques comme le prolongement de l'activité et de la créativité humaines et familiales dans l'entreprise agricole.

Alors l'apport technique des agricultrices, loin d'être occasionnel et résigné, deviendra catalyseur dans le développement de l'agriculture de chez nous. La technologie constitue une force puissante aujourd'hui. Elle change fondamentalement le monde. Les femmes doivent s'associer à ce mouvement si elles entendent prendre part à l'édification d'un avenir fascinant.

Paraphrasant Socrate, je crois qu'on ne peut mieux vivre qu'en cherchant à devenir meilleure, ni plus agréablement qu'en ayant la pleine conscience de son amélioration», même technique. Je souhaite qu'une majorité d'entre vous partage mon enthousiasme pour la technologie et ma vision positive quant à l'avenir des femmes dans ce domaine du savoir. Un sentiment à partager aussi avec nos filles.

Angèle St-Yves
Ingénieure et agronome

PHOTO: JUDITH CRAWLEY

MARIE POTVIN

5 PETITE HISTOIRE D'UNE BELLE RÉUSSITE

Il y aura bientôt six ans, débutaient dans la région des « bleuets » des cours à temps plein en agriculture destinés à la clientèle adulte.

Environ 200 femmes ont depuis ce temps reçu une formation agricole adaptée à leurs besoins. Dix-sept d'entre elles sont maintenant inscrites en vue de l'obtention de trois Attestations d'études collégiales en agriculture.

Origines

L'arrivée du regroupement « Femmes en agriculture » durant les années 82-83, aura permis aux agricultrices de prendre conscience qu'elles existent et du rôle important qu'elles jouent dans les entreprises. Lors des rencontres d'information organisées par le Comité régional des femmes en agriculture, on a vite réalisé l'importance d'une formation agricole accessible, et faites sur mesure.

À l'automne 85, quelques femmes s'inscrivent à temps plein, à un cours offert aux jeunes de la Relève agricole. Mais vu le manque de candidats, le cours risque d'être annulé. C'est à ce moment-là que le Comité régional décide d'en faire la promotion. Après plusieurs coups de téléphone entre les responsables des secteurs concernés, les cours débutent à Alma et à Normandin : 26 agricultrices et 4 jeunes agriculteurs se retrouvent étudiants à temps plein.

La satisfaction, l'enthousiasme durant et après les 19 semaines de cours, le désir de poursuivre des études sont autant d'éléments qui ressortent de cette première expérience et nous poussent à préparer l'année suivante. Un programme de cours d'exploitation et de gestion d'entreprise laitière et bovine, phase I, de niveau secondaire, et phase II, de niveau collégial, sera offert.

Problèmes rencontrés

En octobre 86, afin de mettre toutes les chances de notre côté, chaque responsable de secteur monte sa propre campagne de promotion. C'est surtout par téléphone qu'on contacte nos voisines, nos amies, celles dont on connaît le nom. On les renseigne sur les cours : leur durée, le contenu, la possibilité d'allocation de formation et de gardiennage, etc. Il nous arrive même d'organiser des rencontres d'information avec des responsables du Centre d'emploi et des établissements scolaires.

Il a fallu également dresser des listes de noms et de numéros de téléphone, pour démontrer que nous étions sérieuses et que toutes ces personnes étaient réellement intéressées. On doutait un peu du fait que tant d'agricultrices soient prêtes à suivre des cours. Cependant, nos espoirs s'estompent lorsqu'on nous annonce soudainement qu'il n'y a plus de ressources budgétaires. Il faut attendre l'annulation de cours offerts dans d'autres secteurs économiques. Ce fut un dur moment à passer : il fallait informer les responsables de secteur de la situation, maintenir la motivation chez les 90 agricultrices inscrites et se convaincre que l'on pouvait encore faire quelque chose.

Convaincues, nous l'étions. Nous avons repris nos efforts de plus bel en travaillant de concert avec la Fédération régionale de l'U.P.A., la Commission de formation professionnelle, le Centre d'emploi. Rencontres, téléphones, pressions auprès des députés, du ministre Benoît Bouchard, autant d'actions qui finirent par porter fruit : des fonds sont débloqués le 19 décembre.

La suite...

Soulignons que tout au long du programme de formation, a régné un climat de collaboration et de confiance entre les différents intervenants et les agricultrices.

Petit à petit, les étudiantes se sont penchées sur le problème de la reconnaissance des acquis, et plusieurs d'entre elles se sont fixées comme objectif l'obtention de trois Attestations d'études collégiales en agriculture. Le programme Phase III, fut donc offert à l'automne 89 à trente agricultrices, ce qui leur permettait de compléter leur formation.

De plus, dix-sept agricultrices ont poursuivi leurs démarches en se présentant à des entrevues d'évaluation afin que soient reconnus leurs acquis extrascolaires, ce qui leur évitait d'avoir à suivre certains cours et à participer à des stages requis pour l'obtention d'Attestations d'études collégiales.

C'est donc avec fierté que ces «finissantes» ont reçu le 3 octobre 91 une bourse de la Fondation de l'U.P.A.[1]

Quelques témoignages

Les femmes rencontrées ont toutes terminé les trois années de formation. Ces années passées à l'école ont eu des répercussions importantes tant dans leur vie personnelle que professionnelle.

L'une d'entre elles, dans la trentaine, mère de quatre enfants et sociétaire dans une entreprise laitière:

«Une des raisons qui m'a incité à suivre le cours 'Exploitation et gestion d'entreprise laitière', c'est la volonté d'en connaître autant que mon conjoint en agriculture. Je voulais en savoir assez pour être capable de participer pleinement aux conversations. Une autre raison importante, c'est que j'avais besoin de sortir de la maison et de me sentir plus autonome. Ce fut donc pour moi la parfaite occasion.

Au début, par contre, ce fût assez difficile de s'adapter à un nouveau genre de vie. Les premières semaines n'ont pas été faciles. Même si je suis une personne plutôt sociable, il a fallu apprendre à vivre en groupe. Mais il s'est vite installé un climat agréable; on a appris à partager, à mieux connaître les gens, à découvrir ce qu'il y a de beau à l'intérieur de chaque personne.

---

(1) Organisme mis en place par les producteurs de la région pour promouvoir la formation par l'attribution de bourses d'études.

En ce qui concerne l'organisation de la maison, toute la famille s'est donné la main; chacun aidait à sa façon. Je n'avais que peu de choses à faire le soir et c'était agréable de partager les tâches de la maison.

Le plus difficile pour moi, ç'a été mon orgueil. Je voulais absolument réussir et bien réussir dans toutes les matières. C'était très important pour moi. Il a donc fallu travailler, laisser de côté des sorties, et certains loisirs. J'étais toujours nerveuse 3 ou 4 jours avant un examen, à en avoir une espèce de boule dans l'estomac. Il y a eu aussi les moments de découragement. Certains cours étaient plus ardus. Mais mes compagnes, mes professeurs, mon conjoint, les enfants m'ont encouragée durant ces moments-là et m'ont donné tout le support nécessaire.

Ce dont je suis le plus fière, c'est d'avoir réussi ces trois ans de formation. C'est dans mes projets de compléter mon secondaire V en français et en anglais. Je ne sais pas ce que l'avenir me réserve. Un diplôme ça peut être utile!

Avec l'acquisition de connaissances en agriculture, je me sens plus importante, je sais que j'apporte plus à notre entreprise. Ç'a toujours été ma crainte, d'avoir 40% des parts, mais de ne pas être en mesure de justifier cette propriété.

Finalement, cette expérience m'aura permis de mieux me connaître, d'avoir confiance en moi et d'acquérir plus d'autonomie. Je sais que j'ai fait un bon bout de chemin et qu'il m'en reste à faire. J'ai pas fini mais je sais où je suis rendue.»

Une deuxième, dans la quarantaine, travaillant depuis plusieurs années en agriculture:

«Je n'avais jamais suivi de cours et j'étais disponible à ce moment-là. Je me suis dit: je vais aller voir ce que ça peut m'apporter.

Et j'ai appris beaucoup, pas seulement des professeurs mais aussi des autres, de leurs expériences. Mes cours de gestion, je m'en sers tout le temps, ça été une vraie découverte. Lorsque l'on a acheté la ferme, je n'avais jamais vu un livre de comptabilité. Les cours m'ont donné une méthode de travail qui aurait été bien utile au début.

Avant j'étais gênée de dire que j'allais à l'étable. Quand ça fait des années que l'on fait la même chose, la même routine on se demande si son travail a de la valeur. Pas de salaire, pas de diplôme, on ne perçoit pas beaucoup ce que l'on apporte à l'entreprise. Avec les cours, tout ça a changé; maintenant je suis fière d'être une agricultrice et consciente de l'importance de ma participation à l'entreprise.

Je n'ai pas remplacé mon mari, c'est encore lui qui fauche, qui laboure. Je n'ai pas pris sa place, mais je comprends plus ce qu'il fait et je sais que j'ai aussi ma place.»

Une troisième, dans la vingtaine, propriétaire depuis 5 ans avec son mari:

«J'ai commencé les cours un an avant que l'on achète la ferme. Je ne connaissais pas grand-chose en agriculture et mon conjoint avait de la difficulté à m'expliquer ses connaissances acquises depuis son enfance. De toute façon, même si je recevais des explications, ce n'était pas la même chose. En formation, en plus d'apprendre mon futur métier, j'ai acquis une plus grande ouverture d'esprit.

Ce que j'apprenais à l'école, j'en parlais beaucoup avec mon mari et il m'est arrivé souvent de revenir à l'école le lendemain, avec d'autres questions pour le professeur. Je me trouve chanceuse d'avoir suivi ce cours juste avant le transfert de la ferme. Ça nous a vraiment aidés et nous avons pu éviter bien des erreurs.

J'ai pris conscience aussi que je pouvais avoir une place dans l'entreprise, que j'avais des possibilités. J'ai pu m'affirmer davantage. Avant, jamais je n'aurais dit un mot à une réunion. Maintenant, comme agricultrice, je sais que je peux apporter quelque chose au monde agricole.»

Une quatrième, dans la quarantaine, travaillant depuis plusieurs années dans l'entreprise de son mari:

«Moi, après 22 ans en agriculture, j'étais consciente que j'avais des manques, des faiblesses et que j'avais aussi le désir de rencontrer du monde, de sortir de mon rang.

Une fois embarquée, c'est vraiment des connaissances que j'allais chercher. J'ai étudié trois ans parce que j'étais convaincue que j'avais beaucoup à apprendre. Plusieurs me disaient: «à ton âge, qu'est-ce que ça t'apporte au juste?» Par contre ma famille m'a toujours encouragée et comprise.

Avant les cours, je travaillais à l'entreprise parce que je me sentais obligée. Après les cours, je me sens encore obligée, mais je sais ce que je fais et je le comprends. Maintenant quand j'ai à prendre une décision, j'ai des outils qui m'aident. Je suis moins entêtée et je dialogue plus. »

En conclusion

Après toutes ces années, les actions posées pour la diffusion de la formation agricole ont certainement apporté beaucoup.

Ces agricultrices ne sont plus les mêmes. Elles sont maintenant plus en mesure d'accomplir leur rôle professionnel. Elles sont aussi plus conscientes du rôle social qu'elles ont à jouer, de l'importance de l'agriculture dans la société. Ces deux cents femmes ont aussi changé l'agriculture régionale.

J'aimerais dire bien des mercis, à bien du monde. D'abord, à toutes les agricultrices qui ont suivi ces programmes de formation, à celles qui se sont occupées d'en faire la promotion, aux intervenants dynamiques, aux fonctionnaires compréhensifs, à nos élus attentifs. J'espère que toutes et tous vont se reconnaître.

Marie Potvin, agricultrice

QUATRIÈME PARTIE :

LE DIT ET LE NON-DIT

JACQUES BRODEUR

1 L'AGRICULTURE AU QUOTIDIEN: ENTRE VIOLENCE ET TENDRESSE

Les organisations peuvent être le lieu d'une très grande violence symbolique... Cette violence est beaucoup plus répandue qu'on veut bien l'admettre. Non seulement est-elle une des causes principales des problèmes psychiques que les gens vivent à leur travail, mais elle est à l'origine de beaucoup d'inefficacité.

Alain Chanlat[1]

Ration quotidienne d'horreurs... au nom de la vérité et du droit à l'information

Le mot violence est habituellement associé à la violence physique: coups, blessures physiques, assauts de toutes sortes, agressions corporelles, vandalisme. Et Dieu sait si bien des gens réclament leur ration quotidienne d'horreurs. Certains médias font des affaires d'or avec la souffrance visible. Cette violence-là a aussi été récupérée par les chiffres et les statistiques pour faire plus scientifique. Cela donne à peu près « au Canada, 500 000 femmes sont battues par le conjoint; au Québec, il y en a 250 000. Au Canada, 20% des homicides sont commis par un conjoint violent et dans 84% des cas, c'est la femme qui est tuée par son mari. La plupart des agressions se font entre 17 h et 7 h, et le plus souvent sans témoin. » ensuel xxx, 1987, p. 23) Et à côté de cela, il y aura le dossier des enfants battus, violés, enlevés, vendus, achetés... Et pourtant cette violence physique n'est qu'une expression d'une autre violence qui peut continuer son petit bonhomme de chemin sans qu'on y prenne garde.

---

(1) Dans Alain Chanlat: Gestion et culture d'entreprise: le cheminement d'Hydro-Québec, p. 189

La dimension symbolique de tout agir humain

Tout acte humain est investi d'une dimension symbolique, qu'elle soit positive ou négative. Un simple sourire peut nous apparaître comme un signe de grande amitié alors qu'un visage indifférent peut avoir valeur de rejet.

D'un autre côté, il apparaît tout aussi important d'aller vérifier si nos actes et nos comportements sont bien interprétés par ceux et celles qui vivent avec nous, notammant les membres de notre famille ou nos collaborateurs immédiats dans la vie de l'entreprise. Ce que les psychologues appellent la violence symbolique provient toujours de l'insouciance par rapport à la valeur symbolique de tout comportement humain. Nous allons orienter notre réflexion à l'aide d'un exemple concret.

Valérie et Alain sont mariés depuis dix ans et exploitent en association avec le père d'Alain, l'entreprise laitière de ce dernier. Ils habitent, non loin de la ferme, une maison toute neuve avec leurs deux petites filles agées de deux et quatre ans. Tel qu'entendu avant le mariage, Alain travaillerait à plein temps et Valérie resterait à la maison avec les enfants, jusqu'à la maternelle parce que, rappelait-elle, elle ne voulait pas faire revivre aux petites ce qu'elle avait connu dans son enfance : l'absence continuelle de la mère devenue spécialiste dans l'amélioration du troupeau laitier. « Quand je voulais parler à ma mère, c'était toujours à l'étable qu'il fallait aller ».

Puis un jour, en rentrant à la maison pour le repas du soir, comme les deux enfants pleuraient, Alain s'efforça de les consoler. Comme rien ne changeait, il haussa le ton. Valérie fit alors une des belles colères de sa vie, avouait-elle plus tard en riant. « Qu'est ce que je ne lui ai pas dit ?... qu'il s'y prenait mal avec les enfants...qu'il les connaissaient mal... qu'il la laissait toute seule avec les petits ... qu'il défaisait l'éducation qu'elle leur donnait... qu'il était plus intéressé au vêlage qu'à son accouchement des petites...qu'il était toujours avec son père tandis qu'elle-même vivait comme en exil, etc... »

Heureusement, la crise de Valérie a permis des mises au point par la suite. De fait, Valérie et Alain avaient simplement commencé à être débordés soit par les exigences des enfants, soit par les urgences du travail à la ferme. Ils avaient cessé de se dire ce qui se passait dans leur tête. Et alors, mutuellement, ils s'étaient mis à mal interpréter ce qu'ils observaient... « Nous nous sentions de plus en plus seuls, chacun de notre côté... parce que nous étions privés de signes d'appréciation. Et ce qui est pire, nous ne pouvions plus voir les marques d'attention, les délicatesses. Nous ressentions tout ce que l'autre faisait comme de l'indifférence, du désintéressement... C'était dur à vivre... c'était violent en dedans... et stressant... » On était en pleine situation de violence symbolique. Tandis qu'il faut des sensations de plus en plus fortes pour que l'esprit de certains se mette à réfléchir un peu — pensons aux déclarations subites du papa face à son fils accidenté, ou encore aux déclarations d'amour du grand adolescent qui apprend que sa mère va mourir — il reste souvent peu de place pour prendre conscience de la violence symbolique que nous entretenons à notre insu. Jacques Prévert a écrit un court poème, tout simple, sur la violence symbolique.

La Tasse de Café

Il a mis du café dans la tasse.
Il a mis du lait dans la tasse à café.
Il a mis du sucre dans le café au lait.
Avec une cuillère, il l'a tourné.
Il a bu du café. Il a remis la tasse sans rien me dire.
Il a allumé une cigarette.
Il a fait des ronds avec la fumée.
Il a mis les cendres dans le cendrier,
sans me parler, sans me regarder.
Il s'est levé.
Il a mis son chapeau sur la tête.
Il a mis son imperméable parce qu'il pleuvait.
Et il est parti,
sans rien me dire, sans me regarder.
Et moi, j'ai mis ma tête entre mes mains,
Et j'ai pleuré.

Pas de violence apparente entre ces deux personnages

Pas de violence apparente entre ces deux personnage de Prévert.

Loin de là. On pourra toujours penser que celui qui pleure est trop sensible, trop susceptible, trop émotif.

Ce que Prévert évoque, c'est qu'il y a des façons très correctes d'agir qui contribuent à faire mourir quelqu'un. « La preuve que je ne suis rien, c'est que je ne vaux même pas un regard, une salutation ». Ginette Renaud chante d'une façon tragique ce que peut être la solitude : « La solitude, c'est de voir dans les yeux de l'autre que je n'existe pas » Affreuse violence, cette indifférence qui se cache même sous les traits de la politesse.

La violence symbolique... peut-être, mais, sur une ferme, il faut d'abord produire...

Le monde des affaires, du business, du commerce a toujours été considéré comme un monde pragmatique, rationnel, sans émotions : « business is business »... « il n'y a pas de sentiments en affaires » etc. Le milieu agricole québécois, comme l'ensemble des pays industrialisés, a résolument adopté cette idéologie depuis une vingtaine d'années. Il fallait, en toute urgence devenir pragmatique et rationnel. Certains producteurs et productrices ont alors commencé à trouver coûteuses certaines valeurs traditionnelles — respect de l'autre, solidarité entre producteurs, vie de famille — apparemment inconciliables avec les lois impitoyables d'une économie de marché.

Et voilà que le monde de l'entreprise commence à parler de violence symbolique.

Or, voici que retentit depuis quelques années dans ce même univers du business et de l'industrie, un message inattendu : tenez compte des sentiments, et prenez garde à la violence symbolique ! Ce que nombre de poètes, philosophes, prophètes n'ont jamais cessé de rappeler, c'est-à-dire, l'incontournable besoin d'être reconnu et apprécié, le nouveau discours en gestion et en management ne cesse de le proposer. Dans l'avant-propos d'un livre sur les sciences de la gestion et les ressources humaines, publié en 1986, on peut lire :

> Dans notre recherche sur la nature et le vécu du travail industriel aujourd'hui...nous avons été amenés à conclure essentiellement ceci : quels que soient les lieux et les systèmes, le travail industriel — est source et prétexte d'une cer-

taine « violence » d'une partie de l'humanité sur l'autre, en même temps que source profonde de déshumanisation et de dépersonnalisation du travailleur, à l'occasion de son travail. (Aktouf 1986, p.9)

Dans les écoles de gestion et de management, on commence à critiquer la réduction du travail humain à une affaire d'efficacité et de produit fini. On a accumulé les symptômes de la violence symbolique : pertes de motivation au travail, conflits de personnalité, sources de graves catastrophes aériennes dans l'aviation civile, (Enquête de la NASA sur l'aviation civile), dépressions nerveuses, conflits syndicaux, revendications en chaîne, etc. Et contrairement à toute prévision, la cause fondamentale de tous ces problèmes de personnel n'était pas d'ordre économique mais bien d'ordre symbolique. En résumé, les employés interprètent spontanément les règlements et les ordres donnés comme des manques de considération personnelle.Certains titres de livres récents illustrent bien cette prise de conscience : *L'entreprise névrosée, Les ruses de la technique, La gestion et la culture d'entreprise, Les sciences de la gestion et les ressources humaines : une analyse critique, Comment survivre dans les organisations*, etc. La plupart de ces ouvrages ont été réalisés en équipe multidisciplinaire. Est-ce un signe que la réalité des entreprises pourra de moins en moins, à l'avenir, se ramener à la seule composante économique ?

Évidemment, nombreux sont les chercheurs en gestion qui mettent en garde contre une certaine candeur qui laisserait croire que tous les chefs d'entreprises se préoccupent du bien-être des employés, sans arrière-pensée. Un vice-président de compagnie disait, avec une franchise étonnante : « La psychologie a montré que les hommes semblent produire mieux s'ils sont heureux. Mais si l'expérience prouvait qu'ils produisent encore mieux s'ils sont furieux, nous nous arrangerions pour qu'ils le soient en permanence » (Kets De Vries 1985, p.152)

L'entreprise agricole : milieu privilégié pour la violence symbolique.

Ce titre volontairement ambigu ne veut surtout pas insinuer que les producteurs et productrices agricoles sont plus violents que les autres. Il veut plutôt rappeler une réalité encore usuelle chez nous: le milieu de vie familiale coïncide avec le milieu de travail. J'avoue avoir été assez souvent étonné depuis 15 ans d'entendre, dans la bouche des fils et filles de producteurs agricoles, tant de déclarations d'amour à l'égard des «durs travaux» de la ferme, en même temps qu'une absence de mots par rapport à la famille. Pourtant, la considération pour les parents est évidente, mais elle est sans voix.

On constate parfois que dans le milieu agricole, comme dans tous les milieux, des hommes et des femmes travaillent pour oublier leur solitude, pour ne pas penser à autre chose, pour combattre le stress. L'énergie dépensée à ces activités de travail manuel supprime une bonne partie de l'insécurité apportée par le manque de communication valorisante, réduit les tensions et facilite ensuite... le sommeil.

C'est Erving Goffman qui rappelle «qu'il y a pas d'agent plus efficace qu'une autre personne pour assurer l'épanouissement d'un individu ou, au contraire, pour réduire à néant la réalité de son existence, par un regard, un geste ou une remarque» (Chanlat 1984, p. 189)

La violence symbolique à la ferme n'atteint pas seulement la femme, l'épouse ou la mère...

Comme on l'a vu précédemment, la violence symbolique concerne tous les membres de la famille agricole sans exception. Cependant, il faut reconnaître que les femmes, dans l'agriculture québécoise, ont souvent connu des conditions de vie particulièrement difficiles et parfois apparentées à une certaine violence physique: éloignement, difficultés de transport, incapacité de communiquer avec les voisins ou la famille... (pour éviter les rumeurs), manque de reconnaissance de la part de l'époux ou des enfants, mises à l'écart de certaines décisions, surtout dans les entreprises ou père et fils (devenu époux) étaient associés, etc.

Ceci dit, il est important de ne pas juger les situations d'hier avec les mentalités d'aujourd'hui. Également, il faut reconnaître que nombre d'agricultrices ont aussi connu un épanouissement humain qui n'a rien à envier à l'idéal d'autonomie qu'on propose de nos jours.

Aujourd'hui, les agricultrices tiennent un discours politique, de plus en plus concerté à travers la province, dans le cadre des syndicats d'agricultrices, comme à travers le Bureau de la répondante à la condition féminine du ministère de l'Agriculture. Comme jamais auparavant, ce discours s'adresse à des hommes du milieu agricole, aux politiciens, aux professionnels du droit et au monde économique. Et il y a une raison fondamentale à cela. C'est ce qu'il faut maintenant expliciter.

Les femmes ne parlent pas seulement pour elles...

Les femmes n'ont pas pris la parole seulement pour se plaindre de violence ou pour revendiquer pour elles seules. Pour peu qu'on suive leur discours c'est à une nouvelle prise de conscience de la dignité humaine, à une nouvelle approche du travail et de l'économie, qu'elles ont voulu solliciter les avis de tous les intervenants du milieu agricole. Elles poursuivaient de cette façon ce que les mouvements agricoles féminins d'autrefois avaient instauré.

Comme preuve de leur implication et de leur réalisme économique en cette fin du XIXe siècle, les femmes ont exigé la mise à jour de leur statut légal, juridique et financier sur l'entreprise familiale. Sans ces exigences, nous le savons tous, leurs discours sur la dignité et la qualité de vie auraient une fois de plus été considérés comme vains et utopiques.

Toutefois, il faut reconnaître qu'au-delà des changements légaux ou politiques plus apparents, ce que les femmes ont revendiqué et continuent de revendiquer, c'est une meilleure qualité de relation interpersonnelle, un partenariat mieux formulé en ce qui touche la gestion d'entreprise et surtout une meilleure qualité de vie pour chaque membre de la famille et particulièrement pour le conjoint lui-même : « Mon mari me disait qu'il se sentait pogné... pire qu'au temps de l'esclavage ».

Les agricultrices : témoins privilégiés de la violence symbolique.

Les agricultrices n'ont peut-être pas été des victimes reconnues par la violence symbolique mais bien des témoins privilégiés. D'une façon habituelle, l'agricultrice a toujours joué un rôle de médiatrice dans les conflits entre frères, soeurs, père, fils et filles. De plus, elle était le seul témoin de la violence symbolique ressentie par le conjoint. L'une d'elles disait :

« Un de mes garçons me parle souvent de ses difficultés avec son père qu'il trouve trop sévère. Mais d'un autre côté, mon mari lui aussi me confie souvent sa tristesse à cause de sa mésentente avec son fils... Il fait le dur devant les enfants, mais c'est l'homme le plus sensible que je connaisse... Et quand il s'est mis en colère pour quoi que ce soit, il s'en va bien triste tout seul dans son tracteur... »

Que d'histoires les femmes pourraient également raconter sur la générosité de coeur et la capacité de tendresse dont elles ont aussi été les témoins privilégiés dans leur entreprise. Ce qui nous amène à dire un mot de la tendresse symbolique.

Et la tendresse, là-dedans !

Si habituellement la violence symbolique n'est pas identifiée, il en va de même pour la tendresse. Des gens posent des gestes par amour et on peut y voir uniquement de la politesse, sans plus.

J'ai demandé à un agriculteur ce qu'était la tendresse pour lui. Il m'a répondu : « J'essaie de remarquer les détails... Et toute la journée est remplie de détails. Si je vais en ville, je pense à demander à ma femme si elle a besoin de quelque chose... C'est un détail, mais... »

Et pourquoi remarque-t-on si peu la tendresse ? Et pourquoi sommes-nous si avare de tendresse ? Le professeur Chanlat propose une réponse quand il écrit que dans les organisations, les gens passent beaucoup de temps sur la défensive. « Ils consacrent beaucoup d'énergie à se protéger de la violence et à se reconstruire psychologiquement ».

Tendresse et travail à la ferme

De même que les activités quotidiennes peuvent donner prise à différentes formes de violence symbolique, de même elles peuvent donner prise à différentes formes de tendresse. Encore faut-il s'arrêter pour y penser. Car, réfléchir demande parfois beaucoup plus d'efforts qu'un travail très dur. On l'a dit plus haut: bien des gens ne réagissent qu'aux émotions fortes causées par l'horreur, la peur ou encore l'excitation extraordinaire.

J'ai observé sur des fermes deux façons de planifier le travail. D'un côté, le souci de l'ouvrage à compléter est plus grand que le souci du fils, de la fille, du père, de la mère ou de l'employé qui le fera. Cette façon de voir conduit au langage du genre: «Chez nous, c'est le travail qui compte... On ne perd pas de temps avec le bla bla bla». D'autre part, il existe des familles agricoles, et pas nécessairement parmi les plus riches ni parmi les plus pauvres, où les personnes comptent plus que les choses à faire. La répartition des tâches obligatoires donne lieu à toutes sortes de délicatesses mutuelles: on s'enquiert des disponibilités de chaque membre, on connaît leurs intérêts, on se permet toutes sortes de négociations entre frères et soeurs et parents, on précise les horaires en vérifiant si c'est possible pour tous et chacun, etc. Dans ces familles agricoles, les tâches se font habituellement mieux, et, disait un producteur, «les machines cassent moins souvent». Parents et enfants se sentent appréciés. Bref, dans ces familles, chacun et chacune a compris que les autres aussi existent, et que la contribution des uns est solidaire de la contribution des autres. Et comme par hasard, dans ces familles agricoles, il reste du temps pour rire, pour se taquiner, pour s'expliquer... Et quand arrive le temps des grandes décisions, transfert du patrimoine ou nouvelles formes d'association dans l'entreprise, le climat favorise le maximum de lucidité dans les décisions et les meilleures possibilités d'harmonie entre tous les membres de la famille.

Dans ces familles, les activités quotidiennes donnent autant de chances à la tendresse qu'elles auraient pu en donner à la violence symbolique.

Le plus grand obstacle à la tendresse: elle est souvent perçue comme étant «superflue»...

Quand on vit dans un univers où les activités humaines sont inspirées par des concepts comme efficacité, rentabilité, productivité, etc, il est normal qu'on développe une philosophie utilitariste de la vie humaine. Et dans cette philosophie, l'ennemi est l'inutile, le non rentable...

Cette philosophie pourrait devenir un piège dans la mesure où on se condamne soi-même à être mis de côté une fois l'ouvrage terminé. Une pelle cesse d'être utile en hiver dès que l'entrée est déblayée; à la fin de l'hiver, on la range bien loin pour qu'elle n'encombre plus, parce qu'elle est désormais inutile. Et elle n'en souffre pas. Mais qu'arriverait-il à une personne humaine qui se considérerait comme un pelle? Chose certaine, elle aurait peur que la neige cesse de tomber, ou de tomber malade,ou de vieillir et d'être mise de côté, une fois épuisée sa capacité d'être utile... rentable...

Or, la tendresse ne vise jamais l'utilité, mais la découverte de l'autre. On peut tout faire sans tendresse, même l'amour. Mais l'autre saura bien qu'on se sert de lui, d'elle, uniquement parce que c'est nécessaire...

Se sentir utile sans ressentir de la tendresse autour de soi, c'est l'une des émotions les plus désespérantes de la vie. Ce sentiment d'utilité, sans perception de tendresse autour de soi, finit par avoir un arrière-goût de viol symbolique.

La ferme au quotidien: entre violence et tendresse...

Vivre à la ferme, chaque jour, c'est se réveiller en sachant qu'on pourra osciller toute la journée entre la violence et la tendresse. Et ce niveau de conscience peut orienter le choix à faire pour la violence ou pour la tendresse. Ce choix ne présuppose aucune structure sociale, ou économique. En effet, les entreprises les plus favorables à l'épanouissement humain ne suppriment pas nécessairement la violence entre les personnes, tout comme les entreprises plus difficiles à gérer ne suppriment pas nécessairement la tendresse.

Mais, si on choisit de poursuivre la tendresse, on verra encore plus la violence autour de nous, dans les mots et gestes, dans les structures et organisations.

Si on choisit la tendresse, on n'exigera pas que tous les autres deviennent tendres... le plus tôt possible. Car, la tendresse, c'est d'abord une grande sensibilité aux rythmes de croissance de tout être humain.

La tendresse, c'est prendre du temps avec son fils, non pas seulement quand il est sur un lit d'hôpital, mais parce qu'il est vivant, unique, si différent de ses frères et soeurs. La violence serait de forcer ses enfants à être semblables.

La tendresse, c'est de trouver du temps pour la joie des autres, comme on a su en trouver pour sa peine à soi.

La tendresse, c'est de savoir vérifier si je comprends bien ce que l'autre désire, ou voulait dire... La violence serait de ne jamais y penser.

La tendresse, c'est de sortir de la maison, tôt le matin, sans claquer la porte, parce que les autres dorment encore. La violence serait de n'y avoir jamais pensé.

La tendresse, c'est d'admettre que parfois nous énervons les autres. La violence, c'est de se ficher de ce qu'ils pensent ou ressentent.

La tendresse, c'est croire spontanément qu'on n'a pas toujours raison. La violence c'est de s'imposer comme la vérité ou l'expérience incarnée.

La tendresse, c'est voir la main qui offre le verre d'eau quand on a soif et c'est dire merci avant de boire.

La tendresse, c'est un antidote contre la violence symbolique, un antidote qui peut se mettre en action immédiatement, en faisant le rangement des outils, pour que l'autre ne les cherche pas, ou encore en faisant un petit détour, simplement pour dire en passant: « Ça marche comme tu veux? »

Jacques Brodeur
Théologien.

Bibliographie

Aktouf, Omar-1986: *Les sciences de la gestion et les ressources humaines; une analyse critique*, Alger, Entreprise nationale du livre et Offices des publications universitaires, 203 p.

Chanlat, Alain, André Bolduc & Daniel Larouche-1984: *Gestion et culture d'entreprise: Le cheminement d'Hydro-Québec*, Montréal, Québec-Amérique, 250 p

Dion, Suzanne-1983 ; *Les femmes dans l'agriculture au Québec*, Longueuil, Ed La Terre de chez nous, 165 p

Kets de Vries, M.& Danny Miller — 1985 : *L'entreprise névrosée, Stratégie et management*; Toronto MacGraw-Hill, 176 p.

Pagès, Max — 1968 : *La vie affective des groupes. Esquisse d'une théorie de la relation humaine*, Paris, Dunod, 508 p ; pp 316-386

ALICE BARTHEZ

2 Irène et André

De part et d'autre de l'Océan, les femmes expriment un même besoin de reconnaissance pour leur travail et les responsabilités qu'elles assument dans l'entreprise agricole où se déroule leur vie. En revendiquant leurs droits, elles font l'expérience d'un univers professionnel précisément conçu à partir de leur absence. En essayant d'y entrer, elles éprouvent la froide logique d'une porte close. Si l'on suppose que la clef n'est dans la poche de personne, et que la porte est trop bien scellée pour qu'elle se laisse fracturer, il ne reste plus qu'à chercher à comprendre.

C'est à partir de là que j'ai peu à peu modifié ma façon de chercher. Jusque-là, il me semblait qu'en me tenant à distance des vies particulières je percevais mieux la cohérence des revendications des femmes dans la société. De cela j'ai senti les limites à mesure que je devenais sensible dans ma vie quotidienne de recherche, au silence plus qu'à la rumeur. Je voulais que s'expriment les multiples faits de la vie qui ne sont jamais dits parce qu'ils sont par avance classés comme détails. Je voulais m'approcher de la lutte sourde que chacun mène pour trouver un sens à sa vie, pour être reconnu par quelqu'un, la renvendication professionnelle n'étant que la partie émergée.

Pendant plusieurs semaines, je suis allée à la rencontre d'hommes et de femmes dans leurs fermes au sud de la France, pour qu'ils me parlent d'eux non seulement au présent mais qu'ils me racontent leur voyage, l'aujourd'hui n'étant qu'une étape. Irène et André sont de ceux-là.

Irène m'a invitée dans sa maison. Elle a allumé du feu dans la cheminée et nous nous sommes mises côte à côte. J'ai senti que je l'écoutais comme une barrière qui s'ouvre laissant la voie libre. Elle s'y est engagée. Tandis qu'elle me parlait, son mari est arrivé, il s'est placé autour du feu et s'est mis en route lui aussi. Nous fûmes tous les trois hors du temps dans le parcours de leur vie, moi n'étant plus que le tracé du chemin qui les portait. Et puis le fils est arrivé à son tour et nous sommes passés dans l'avenir.

Plus tard, j'ai commencé à écrire. Irène et André sont venus les premiers sous ma plume, presque à mon insu. Leur histoire particulière m'est progressivement apparue d'une portée générale. À mesure, naquit en moi la conviction que chacun portait en soi Irène, André, comme un prénom secret, parfois enseveli dans l'oubli mais dans l'attente que la voie s'ouvre pour se mettre en marche.

Le jour où Irène rencontra André, elle ne pensait pas au mariage mais plutôt à économiser sur son salaire de sténodactylo pour poursuivre des études. Admise première du canton au Certificat d'Études, l'institutrice l'engageait à entrer au collège. Mais c'était le moment où ses parents achetaient de la terre pour agrandir la ferme qu'ils destinaient plus tard à leur fils unique. La terre était sacrée tandis qu'ils disaient d'Irène: elle se mariera.

En attendant, Irène apprit la couture et la cuisine à l'ouvroir du village de sa tante à cinquante kilomètres de ses parents. Hébergée sans frais, elle suivit les leçons de musique que le curé donnait à l'harmonium de l'église jusqu'à dix heures du soir; elle chantait aussi à la chorale du village. Irène est passionnée.

Irène se trouvait laide. Elle n'allait pas au bal car ça ne se faisait pas; une fille Armandot ne va pas n'importe où. Dans la famille, on est pauvre mais orgueilleux. La lecture, les longues lettres que l'on s'écrivait en famille réduisaient la distance. Après deux hivers passés chez sa tante en parcourant de temps à autre sur sa bicyclette le trajet qui la séparait de ses parents elle revint chez elle pour participer aux travaux de la ferme, puis elle prit une activité chez le maire du village, marchand de grains. Celuici vendait aussi des engrais et connaissait bien le père d'Irène; on était en famille.

L'installation d'une grosse entreprise d'extraction de gaz naturel intervint dans la vie d'Irène. Quand on lui demanda si elle savait taper à la machine, elle répondit oui, car elle savait déjà jouer de l'harmonium, et elle partit aussitôt louer une machine pour apprendre.

À vingt ans, elle fut embauchée par l'entreprise la plus florissante de la région. Elle y gagnait le double de ce qu'elle recevait chez le marchand de grains. Pour ses parents, elle était casée, elle avait un salaire.

Irène devenue ouvrière élargit son horizon au-delà de son village, en même temps qu'elle en éprouvait la séparation. Sensible à ce qu'elle appelle le déracinement des jeunes de la campagne, elle militait aux Jeunesses Ouvrières. Un fil était ainsi maintenu avec ses origines. À l'occasion d'un congrès de la Jeunesse Agricole Catholique, elle se trouva en présence d'André :

— Quand je l'ai rencontré, je ne savais pas qu'il était agriculteur, mais les choses sont écrites, elles sont décidées d'avance.

Elle se disait qu'elle restait dans l'entreprise juste le temps d'économiser pour pouvoir enfin s'offrir des études, fidèle au désir de l'institutrice qui, à l'époque, avait tellement insisté. Aujourd'hui, elle mesure la distance entre ce qu'elle croyait faire et ce qu'elle faisait en réalité.

André l'intriguait. Elle avait vingt-cinq ans et jusque-là, elle ne s'était jamais décidée, elle n'avait jamais trouvé quelqu'un qui lui plaisait. Elle se demandait qu'est-ce qu'il pouvait bien faire dans un pays de deux cents habitants, dans cette montagne frontière où elle n'était jamais allée :

— Ce n'est pas l'agriculteur que j'ai choisi, c'est un garçon qui me plaisait.

C'est alors que les parents de part et d'autre intervinrent, à mesure que le cours des choses se précisait. Du côté d'Irène, ils se montraient fiers de la réussite de leur fille concrétisée par la régularité d'un salaire lui assurant la sécurité. D'où leur réticence à un projet de mariage qu'ils percevaient comme un retour à la terre dont ils vivaient les aléas :

— « Avec un fonctionnaire, tu aurais la retraite, tu serais plus tranquille.

De l'autre côté, la résistance fut grande, massive. Le mariage n'eut lieu que trois ans après leur rencontre. Qui est André? D'après Irène, quand elle l'a connu, il avait un genre de vie tout à fait différent du sien. Il était enfant unique et sa mère était la fille de la maison, fille unique elle-même, c'est-à-dire l'héritière. Son père, bien qu'originaire d'un village voisin, avait été chauffeur de taxi à Paris. En somme, le domestique qui épouse l'héritière. On dit des héritères qu'elles ont une molaire de plus, tant elles sont sûres de leur bien. La mère d'André perdit quatre enfants à la naissance, c'est dire qu'elle y tenait à son fils! C'est dans ce milieu que grandit le futur mari d'Irène qui plus tard devrait reprendre la ferme familiale.

Dans sa jeunesse, André, comme Irène, avait le goût des études mais il dut, comme elle, s'arrêter à l'issue du Certificat d'Études. Son destin était tout tracé: quand on est fils unique, assurer la continuité de la ferme est le seul avenir possible. Rien ne doit s'interposer qui puisse l'en détourner. Pourtant, André rêvait d'étudier il obtint le grade de sergent au service militaire et put s'offrir des cours par correspondance. Il aurait voulu rester au régiment. Il était à la Radio-sans-fil; il travaillait pour le Deuxième Bureau dans la police, en Algérie. S'il avait voulu aller au Sahara, on lui offrait un pont d'or. Mais il fallait revenir, s'occuper des parents. Ah! s'il n'avait pas été fils unique... À son retour, avec ses économies, il acheta un poste de radio et puis un vélomoteur à la taille de sa mère pour qu'elle puisse l'utiliser elle aussi. Il se sentait redevable. C'était comme ça.

À l'annonce de son désir d'épouser Irène, sa mère ne lui cacha pas son irritation.

— « Maintenant, on a fini d'être tranquille. »

Plus tard, après le mariage, elle donnera en exemple les familles environnantes qui ont su garder leur fils célibataire. D'un côté, la mère ne pouvait taire son opposition au mariage de son fils, un arrachement pour elle, tandis que de l'autre, Irène ne recevait que d'indépendance avec son mari. Comment allait-elle s'établir avec lui? Allait-elle abandonner son emploi? Ayant déjà économisé sur son salaire, l'argent qu'elle destinait aux études serait utilisé à installer un logement uniquement pour eux deux. Son désir était de quitter l'entreprise pour se consacrer à la mise en valeur de la ferme familiale de son époux. Mais sa volonté d'unir ses efforts à ceux de son mari fut contrariée par la difficulté qu'éprouvaient les parents, la mère surtout, à se séparer de leur fils. Irène était l'intruse.

Déjà lors du mariage, on trouva le comportement de la mariée choquant du fait qu'elle avait souhaité recevoir des cadeaux utilitaires, une gazinière par exemple plutôt que de la porcelaine. Dans l'atmosphère pesante de cette journée malgré la gaiété affectée, commença la lutte sourde qu'elle aurait à mener pour faire sa place. Le voyage de noces ne fut annoncé que le soir même du mariage:

— Demain, on s'en va,» dirent les mariés aux parents d'André. Ils ne savaient pas s'il était prévu ou non qu'André travaille sur la ferme le lendemain.

En définitive, Irène abandonna son emploi:

— Je t'aiderai, dit-elle à son mari, ensemble nous ferons progresser l'exploitation.

André lui prépara une place en construisant de ses mains un bâtiment d'élevage de poules pondeuses de façon à compenser la perte de salaire. C'est ainsi que les premières années de leur mariage leur semblent parmi les plus dures tant leurs rêves furent irréalisables. Sur la ferme, les parents d'André exerçaient encore les pleins pouvoirs. L'élevage de volailles s'avéra décevant ne permettant pas une vie domestique à part, en couple. De plus, vivre en couple isolé tout en partageant l'activité de la ferme familiale, cela ne se faisait pas dans la région. La mère refusa de voir son fils la quitter et le rêve de vivre à deux fut abandonné. Désormais, les deux générations cohabiteront sous le même toit de la maison familiale. Tandis que la naissance du premier enfant tardait à venir, Irène éprouvait le regret cuisant d'avoir abandonné son emploi et la peur d'être stérile. Du jour où il s'avéra impossible d'aménager un local de la ferme pour en faire un logement propre au jeune couple, Irène réalisa qu'ayant épousé André elle avait également épousé ses beaux-parents. Ce fut alors la lutte en silence entre les deux femmes soudées par leurs liens respectifs avec André, tandis que celui-ci revendiquait l'attribution de la ferme familiale sous sa seule responsabilité. Il fallut quatre années de tensions où parfois l'on se parlait à peine pour que le fils devienne l'héritier en titre. Quand enfin le notaire vint, Irène était enceinte dans l'attente de son second enfant. Elle se souvient de ce jour où elle dut s'écarter de la pièce tandis que s'y déroulait l'acte de passation des pouvoirs. La porte se ferma sur elle et ne s'ouvrit que pour lui demander de servir l'apéritif. Ce jour-là, elle sentit la force invincible qui la séparait de son mari : justement celle qui liait le fils à ses ascendants et à leurs biens, excluant inéluctablement l'épouse.

— Tu aurais pu avoir le courage de m'appeler, reprocha-t-elle à son mari.

Mais le soir de ce jour, le fils était devenu responsable et la belle-mère dit à sa belle-fille en pleurant : « désormais, tu seras la dame. »

L'acte juridique qui venait d'être signé éveillait une douleur encore plus vive pour la belle-mère que celle de devoir s'effacer devant sa belle-fille. En réalité la transmission avait eu lieu directement entre la grand-mère, seule propriétaire, et le petit-fils, sacrifiant ainsi la génération intermédiaire. La belle-mère d'Irène était bien la fille de la maison mais elle ne fut jamais la patronne en titre. L'aïeule décédée peu après le passage du notaire laissait les deux générations en présence, chacune désormais de part et d'autre du devenir.

Le premier enfant qui était déjà né dans le couple était un garçon et sa grand-mère le considérait comme le futur héritier. Selon elle, il n'en fallait qu'un seul, dans le respect de la tradition de l'enfant unique propre aux familles paysannes du sud de la France. Irène se souvenait de la visite de sa belle-mère à la clinique ainsi que de sa déception à la vue du nouveau-né. Son petit-fils aurait dû avoir les yeux bleus comme preuve irréfutable de l'appartenance de l'enfant à son propre lignage, elle qui ayant reçu les yeux bleus de sa mère les avait transmis à son fils. Une sorte de trahison s'inscrivait dans les yeux de l'enfant qui s'étaient refusés au bleu. Alors, à qui ressemblait-il ? demanda la grand-mère. Une nouvelle trahison se fit jour à la deuxième grossesse d'Irène. Quand elle l'annonça, sa belle-mère lui opposa un mur de silence, et quand la petite fille arriva, cette fois la grand-mère ne se déplaça même pas.

Quelques années plus tard, vint un troisième enfant, une autre fille, tandis que progressivement s'amorçait le basculement d'une génération à l'autre jusque dans les moindres détails.

Faire sa place, dans la vie quotidienne voulait dire, prendre:

— «C'est vrai que j'ai volé le travail à ma belle-mère,» dit Irène. Au début, elle n'avait pas de responsabilité en propre, elle devait aider aux différents travaux domestiques: aller chercher les légumes du jardin, ramasser les épluchures, la préparation des repas revenant de droit à sa belle-mère:

— Si elle faisait un gâteau, je devais tout ramasser derrière elle, alors je prenais tout le travail pour qu'elle n'ait rien à faire, car je ne voulais pas la servir.

Détruire le passé devient pour Irène le préalable nécessaire au développement de son existence personnelle. Après tout, qui était-elle? Elle ne pouvait le savoir tant que s'imposaient dans la maison, dans le jardin, dans la ferme tout entière, les goûts et les façons de faire de ses beaux-parents.

Quant à André, dont le mariage avait suscité une telle souffrance chez sa mère, comment pouvait-il se reconnaître marié s'il poursuivait la mise en valeur de la ferme dans le strict respect des conceptions de ses parents?

— Celui qui est responsable est celui qui prend l'initiative, dit-il.

Déjà, il avait profondément heurté ses parents le jour du baptême de son premier enfant quand il avait annoncé qu'il allait à l'église participer lui-même à la cérémonie. Ce fut un scandale, car les hommes n'allaient jamais au baptême. C'était l'affaire des femmes. Quand il avait exigé la totalité des prérogatives sur la ferme, il avait gravement dérogé à la tradition familiale qui ne pouvait reconnaître la transmission héréditaire des biens qu'au décès des ascendants. Sa mère le savait bien, elle qui n'était pas encore l'héritière effective tandis que son fils réclamait déjà ses droits. En passant outre l'opposition de sa mère à son mariage, en recevant la ferme directement des mains de sa grand-mère, André franchissait la distance nécessaire qui devait le rendre peu à peu un homme uni à une autre femme que sa mère. Mais il restait à concevoir la mise en valeur de la ferme en relation avec son épouse et non plus comme le prolongement de l'oeuvre de ses parents. Ensemble, ils achetèrent de la terre; Irène savait déjà par expérience combien la terre est sacrée pour un paysan. Ils dressèrent des bâtiments d'élevage où la volaille fut remplacée par des vaches laitières. Ils contractèrent des dettes mais ne l'avouèrent pas, pour éviter de se heurter à la réprobation des parents qui eux vécurent sur leurs économies à partir d'une polyculture comprise comme leur sécurité.

— « Le plus dur a été le début, tout était à démarrer, il n'y avait rien, dit André.

Les bâtiments, c'était de la vieille, des murs de terre, pas de bàtiments d'exploitation, pas d'orientation sur quoi que ce soit. On faisait deux sous avec ceci, deux sous avec autre chose, et puis en définitive, on n'avait rien. Mais quand les parents ont vu qu'on bâtissait l'étable et puis le hangar, ils ont réalisé qu'on montait, dans la société. Mes parents vivaient une agriculture datant de cent ans, nous l'avons modernisée avec les années. Mais il parle aussi du malentendu qui planait en toile de fond :

— « Ils touchaient leur retraite, mon père avait une pension de guerre. Nous pensions qu'ils auraient pu nous aider davantage. Eux s'imaginaient qu'on était riche parce qu'on brassait beaucoup de choses mais nous avions des dettes dont on ne parlait pas. Ils croyaient que nous avions beaucoup d'argent. »

Pendant ce temps, Irène était préoccupée par la nécessité de remettre en cause l'organisation de la maison, l'agencement du jardin et des abords. Elle avait quitté la ferme de ses parents pour vivre dans celle de son mari ; son frère était devenu le successeur sur la terre où elle était née. La somme d'argent qui lui revenait de l'arrangement de famille, elle y avait renoncé au bénéfice de son frère. De plus, sa mère ne prenait jamais le parti de sa fille lorsqu'elle se plaignait de la dureté de sa vie chez ses beaux-parents. Pourtant, elle avait déjà souffert elle-même d'une insensibilité analogue dans sa vie. Irène se le rappelle. Lorsque sa mère s'achetait une paire de bas au marché, sa grand-mère entrait dans la chambre, ouvrait l'armoire, prenait les bas qu'elle trouvait, les étalaient sur le lit. Plus impitoyable que les mots, ce geste marquait la belle-fille dépensière.

Irène ne comprenait pas que sa mère ne lui manifeste pas plus de compréhension les jours où sa fille mariée lui confiait ses propres difficultés. Inlassablement, la mère répondait :

« L'essentiel est qu'il n'y ait pas d'histoires en famille ; il est tellement beau d'être tous unis dans une famille. »

Totalement orientée par sa vie de femme mariée, Irène ne pouvait plus regarder en arrière car elle n'y aurait pas trouvé de complicité. Il ne lui restait plus qu'à exister là où elle était, en territoire étranger, chez ses beaux-parents, avec son mari.

Elle essayait de prendre les responsabilités à mesure qu'elles se présentaient, et de là cherchait à mettre en oeuvre la transformation qui pourrait la définir, elle. La maison qu'elle partageait avec ses beaux-parents lui parut inhospitalière, inadaptée à ses besoins et à ses goûts. La salle à manger n'était utilisée que deux fois l'an, au moment du sacrifice du cochon et le jour de la fête du village où l'on y recevait de la famille :

— « C'était un tombeau, il y faisait froid, » dit-elle.

Avec l'aide de son mari, elle décida de modifier la maison de fond en comble. Ils souscrivirent ensemble un emprunt pour la réalisation des travaux. Avec l'aide d'un technicien de l'habitat, un plan fut dessiné prévoyant une redistribution entièrement nouvelle des pièces. La venue des enfants nécessitait un tel bouleversement. Il fallait plus de place au jeune foyer. La chambre des beaux-parents fut déplacée et un espace important spécifiquement réservé aux enfants. Les idées de la belle-fille prévalurent. Bien sûr, il fallut expliquer, convaincre, trouver le bon moment. Irène savait que pour obtenir gain de cause, elle devait se préparer longtemps à l'avance, avoir tout prévu, tant les questions que les réponses. Bien que les deux générations aient maintenu leur cohabitation sous le même toit, le jeune couple développait son espace propre. Chacune des générations disposait désormais de sa salle de bain comme son domaine personnel.

Le plus difficile fut la réorganisation des abords de la maison et du jardin. C'était la partie que l'on voyait de l'extérieur et les conceptions de part et d'autre divergeaient trop. Pour la mère d'André, les volailles devaient vivre en liberté dans la cour de la ferme en s'égaillant dans le jardin, aux abords de la maison au risque de se faire heurter par les voitures sur la route ; elles participaient à la définition même de la ferme, elles en montraient la vitalité. Selon les vues d'Irène que partageait son mari, il fallait délimiter un espace précis aux animaux de la basse-cour car c'était là une production de la ferme et non un élément d'agrément et de prestige de la maison. Le jour où la cour fut vidée de ses volatiles, ce fut le drame, une brouille de cinq jours, cinq jours de silence: on se mettait à table et on ne se parlait pas. Parfois, la belle-mère pleurait ou bien parlait toute seule, éperdue.

Le jardin connu lui aussi la mutation d'une génération à l'autre comme rupture supplémentaire et aussi comme douleur. Les deux palmiers dressés en façade de la maison marquant leur présence depuis plusieurs dizaines d'années et signe de notoriété, étaient aux yeux d'Irène deux horribles chandelles qui dépassaient la toiture. Pourtant, ils avaient une histoire: l'un avait été offert à la famille par le curé de la paroisse au moment de son départ, et l'autre, par le châtelain en signe de reconnaissance. Il fallut ensevelir ces deux évènements qui faisaient d'Irène l'étrangère. Ils furent arrachés, mais elle dut expliquer, convaincre et planter autre chose.

Ainsi, au fil des années, les lieux changèrent de visage. Les initiatives de la jeune génération se matérialisaient. La place se prenait en même temps que le fossé se creusait entre les deux générations: il devenait visible, effectif dans les détails. Ce qui était acquis par l'une, était une perte irrémédiable pour l'autre. Confrontées au même espace, aux mêmes objets, la divergence éclatait, vive et cruelle. Tandis que la génération la plus ancienne cherchait à survivre à travers sa descendance, la génération nouvelle se souciait d'exister d'abord par elle-même de façon à se reconnaître dans ses actes, dans ses projets. Rendre tangible ce dont on avait rêvé depuis longtemps pour soi, pour ses enfants, pour l'avenir, devenait irrésistible; et l'affrontement inévitable. À chaque fois, les jeunes devaient traverser le mur du silence dressé par l'autre génération, mur tissé d'hostilité et de peur aussi, celle de devoir se détacher de sa propre descendance, comme de sa vie.

Dès le début, Irène travailla avec ardeur sur la ferme. D'abord la production de volailles, et puis les vaches laitières absorbaient son temps. Mais elle dit qu'elle n'accepta jamais de faire comme sa belle-mère qui vendait les animaux de la basse-cour au marché local:

— «Je trouvais humiliant de partir avec quelques lapins,

quelques oeufs et d'attendre indéfiniment qu'un marchand veuille bien accepter de faire un prix.

Elle affirme qu'elle n'a jamais pu se soumettre à ce point. Même si, d'un côté, elle reconnaît que c'est ce qu'elle aurait dû faire pour être bien vue par les femmes du pays qui auraient dit : voilà une femme bien, économe, qui va vendre sa volaille au marché. Elle pensait qu'il fallait plutôt s'efforcer d'organiser des structures de la vente comme préalable à la production.

Il lui semblait essentiel de participer à des réunions d'information professionnelle. Progressivement, elle obtint d'importantes responsabilités dans un organisme de commercialisation, en considération de l'intérêt qu'elle avait toujours porté à l'organisation de la vente des produits agricoles, ce fut aussi pour elle un moyen de faire admettre ses capacités d'agricultrice au-delà du cercle étroit de la ferme. Si son mari acceptait de la remplacer dans son travail quand elle devait partir à une réunion, ses beaux-parents par ailleurs trouvaient ses sorties excessives et déplacées. À l'extérieur immédiat de la ferme, elle ne pouvait être assimilée à la famille, mais seulement accueillie. À l'église, ses beaux-parents avaient leurs prie-Dieu inscrit à leur nom. Aux enterrements, Irène n'était pas autorisée à représenter la famille, seuls son mari et sa belle-mère se partageaient ce rôle. Pourtant, elle cherchait à mobiliser des jeunes femmes autour d'elle, les invitant à sortir, à lire des journaux. Elle aimait lire les articles de la revue Clair foyer qu'elle s'évertuait à faire connaître. Pour cela, elle devait surmonter les propos désobligeants sur sa conduite :

— « Je me disais, la lecture c'est important. » Et puis un jour, ma belle-mère dit en colère : « moi, je n'aime pas aller jacasser chez les autres, ça ne se fait pas ». Quand elle avait dit, ça ne se fait pas... Si bien que lorsque je voulais aller chez des voisins, je m'échappais. Ici, j'avais l'impression de vivre dans un château fort.

Toutefois, pour être crédible, elle devait faire comme si tout allait bien :

— « Combien de fois j'ai rendu visite à des gens, en cachette, en leur faisant croire que tout le monde était d'accord à la maison. »

La venue des enfants, en même temps qu'elle cimentait l'union du couple, fut vécue de la façon la plus douloureuse. Pour

André, l'ingérence de ses parents dans l'éducation de ses enfants était une lourde atteinte au rôle de père qu'il aurait voulu jouer. À table, où se réunissaient à chaque fois les deux générations, les enfants posaient des questions, les leurs:

— «Les enfants posaient des questions tabou, dit André. Ils ne les posent qu'une fois et pas deux. Il faut saisir le moment propice et il faut répondre. Si on loupe l'occasion... Quand ils posaient des questions sur l'amour, on ne pouvait rien leur dire. Si on avait expliqué comment ça se passait, les grands-parents auraient dit: Oh! ils le sauront bien assez tôt. Alors, on a biaisé, on n'a pas répondu à des questions importantes, c'est grave.»

André regrette ces moments qui lui ont échappé et dont il se souvient comme d'un échec personnel.

Irène aurait voulu vivre des échanges plus ouvertement fusionnels avec son mari, au-delà de la chambre à coucher:

— «Combien de fois j'aurais aimé rester en robe de chambre le samedi soir et passer une soirée décontractée.»

Mais elle avait appris qu'une femme de paysan est une fainéante si elle garde sa robe de chambre. Il y avait un moment que tous deux privilégiaient par-dessus tout: très tôt le matin quand ils prenaient leur petit déjeuner, en tête-à-tête. Puis arrivait un bruit de pas familier indiquant que leur solitude à deux s'achevait pour le reste de la journée, à moins de se retrouver au loin, dans les champs, pour travailler côte à côte.

Avec ses enfants, Irène vivait le plus souvent des relations médiates à mesure de leur naissance, elle apprenait combien la mère devait composer avec leur grand-mère. L'intimité avec eux, elle la retrouvait le soir quand elle les couchait; elle restait très longtemps dans leur chambre, ne réapparaissant que tard dans la soirée pour lever le couvert et faire la vaisselle. Inévitablement, elle devait partager l'affection de ses enfants avec l'autre génération. Elle se rappelle la morsure qu'elle éprouvait quand au retour de la traite des vaches, le soir, elle entrait dans la cuisine et surprenait ses enfants dans une volubile complicité avec leurs grands-parents d'où elle était exclue:

— «Il y avait une connivence entre eux, et moi cela m'affligeait.» Elle reconnaît qu'à la mort de son beau-père, et puis, plus tard à celle de sa belle-mère, les enfants ressentirent un grand chagrin. Leurs grands-parents n'étaient pas un poids pour eux mais une source d'affection où ils puisaient. Entre les plus jeunes et les plus anciens, la distance était si vaste que les conflits n'avaient guère de prise. À mesure que le temps passait, la grand-mère transmettait les bijoux de famille à sa petite-fille et non à sa belle-fille, reproduisant ainsi ce qu'elle avait elle-même subi en se trouvant mise à l'écart de l'héritage au profit de son fils.

Par les multiples attentions que témoignaient les grands-parents à leurs petits-enfants, Irène se sentait tenue à distance. Malgré elle, elle enviait sa fille qui découvrait une grand-mère si différente de la belle-mère :

— « J'ai beaucoup souffert de son manque d'affection, » dit-elle. « Je n'ai jamais reçu de cadeau, je n'ai jamais trouvé de chaleur auprès d'elle. Jamais elle ne se souciait de savoir si je me sentais bien ou mal. Pour ça, je n'ai jamais eu le temps d'être malade. Avec elle, il n'y avait pas à discuter. Elle avait son univers, elle était impénétrable. »

Elle évoque ce jour où elle dut partir à la clinique pour accoucher de son troisième enfant, en plein hiver, saisie d'angoisse. Elle aurait voulu qu'une main maternelle lui préparât une bouillotte accompagnée de quelques mots de tendresse. Ce jour fut d'un grand froid. Le froid n'était pas seulement en Irène, mais aussi dans le corps de cette femme qui devait prendre acte des fruits d'un mariage qu'elle s'était acharnée à retarder et qui la séparait de son fils. Séparation d'autant plus cruelle qu'elle se trouvait intensifiée par une promiscuité qui s'étira sur vingt-cinq années.

Pour André, sa mère était inflexible non seulement envers sa femme mais envers tout le monde y compris lui, son fils. S'adressant à Irène :

— « Tu as reçu plus de cadeaux d'elle que moi. Elle ne m'a jamais acheté une montre. Jamais, elle ne m'a dit : là, tu as 50 000 francs pour t'acheter un costume... Quand vous alliez vendre les foies gras ensemble, elle te disait : garde cet argent et tu t'achèteras ce que tu voudras. »

À cet instant André et Irène sont deux enfants qui font le compte de leurs besoins de tendresse inassouvis.

Irène reconnaît que dans la vie qu'André vécut avec sa mère, il se sentait toujours redevable. Elle sait aussi que, si ses propres relations avec sa belle-mère étaient ainsi dépourvues de sollicitude, c'est qu'elle était impuissante à lui en offrir en retour:

— «Je n'ai jamais pu l'appeler maman.»

Elle dit son incapacité à répondre aux attentes de cette femme qui cherchait à retrouver en elle, une fille: fille soumise... comme le fils d'ailleurs, ajoute André. Elle se dit avec une certaine culpabilité que si elle était arrivée à se fondre dans les attentes de sa belle-mère, peut-être que son mari aurait eu moins de mal à vivre, pris entre les exigences de sa mère et celles de sa femme. Elle énonce une suite de gestes, de comportements qu'elle aurait dû avoir pour que s'exprime un certain élan de sa belle-mère. Celle-ci achetait ses vêtements par correspondance, sur catalogue, aux Trois Suisses:

— «Si j'avais été une belle-fille gentille, je n'avais qu'à lui dire: vous me l'achetez cette robe, elle l'aurait fait. Si j'avais accepté d'aller au marché avec elle vendre les volailles, nous aurions été unies, en famille. À l'église, elle avait sa place mais je n'allais pas à côté d'elle, j'allais ailleurs, de l'autre côté. J'aurais dû me mettre près d'elle pour sortir ensemble de la messe.»

Évoquant tout ce qu'en réalité elle n'avait pas fait, Irène sait qu'elle n'était pas la fille de la maison. Elle a vécu la distance qui sépare les parents des beaux-parents.

Peut-être que le plus terrible fut de vivre dans la confusion d'une seule et même vie privée comme si l'on était parents et enfants alors que c'était impossible. Au fil de ces vingt-cinq années de vie commune, la vigueur des conflits déclinait à mesure que le jeune couple gagnait du terrain et que la génération ancienne s'acheminait à sa fin. Les beaux-parents, progressivement séparés de leur maison et de leur ferme tout en y écoulant leurs dernières années, glissèrent peu à peu dans une immobilité qu'Irène ressentit encore plus pesamment que le temps de la pleine force des affrontements:

— «Ma belle-mère ne quittait plus la maison, jamais. Elle n'avait plus d'activités dehors. Je ne pouvais pas être seule dans la maison, jamais. Elle ne sortait pas, c'était un monument.»

Puis vint le temps où ils eurent besoin d'une assistance encore plus constante, plus rigoureuse, pour les menus faits de la vie quotidienne. La situation se retournait. Irène devint celle qui avait la force et l'initiative dans la maison, tandis que ses beaux-parents étaient maintenant dépendants; la question de l'échange affectif se posait à nouveau mais dans l'autre sens. Marqué par autant d'années de lutte pour se définir un territoire, une identité, Irène était dépourvue face à leurs demandes qui ne pouvaient se résoudre à une prestation de services:

— «Ils n'ont manqué de rien, mais ils n'ont pas eu mon coeur.»

Les quelques mots que sa belle-mère prononça les derniers jours de sa vie retentissent toujours dans la mémoire d'Irène:

— «Heureusement que tu es là.»

Un tel aveu exprimé à la fin, au moment décisif de la séparation et non pas au début du mariage d'Irène, laissait transparaître le mystère des mots et des silences, de ce qui est dit et de ce qui est tu.

— «Il a fallu attendre vingt-cinq ans pour l'entendre,» dit Irène bouleversée, «comme si quelque chose s'était déroulé à son insu durant toutes ces années, quelque chose de secret qu'elle n'aurait pas deviné. Trop attentive peut-être à l'antagonisme, au vacarme des conflits, pour pouvoir écouter dans les intervalles le silence et ce qu'il disait sur tant de difficultés à vivre dans cette ambiance.

Pourquoi était-il impossible d'entendre ce qui se jouait? André raconte combien à l'automne les feuillages prennent de somptueuses couleurs et le plaisir qu'il avait à en rapporter un bouquet à Irène quand il rentrait après son travail de la journée. Alors, son père qui le secondait dans les champs, voyant son fils, confectionnait lui aussi un bouquet pour sa femme:

— Ça ne se faisait pas de ramener des fleurs à sa femme, dit André, comme s'il éprouvait une certaine gêne à découvrir son père vulnérable.

À son tour, Irène évoque la naissance des enfants et les cadeaux que son mari lui offrait pour célébrer l'évènement, en même temps que la douleur de sa belle-mère pour la dépossession tragique qu'elle vivait là: la naissance d'un enfant d'une autre femme qu'elle, et dont elle partageait la vie privée, les attentions de son fils dont elle n'était plus le centre. Double perte d'autant plus irréparable qu'elle n'avait pas de mots pour s'exprimer. Seuls, les insinuations et les évitements pouvaient en rendre compte.

— Il fallait qu'on se cache, dit Irène, il fallait qu'on cache notre amour.

L'un et l'autre parlent de cet amour toujours en péril d'être perturbé, et qu'il fallait soustraire aux regards, les faisant parfois s'enliser dans des incriminations réciproques:

— Bien sûr, j'ai rendu André malheureux, dit Irène, je l'accusais toujours, lui. Mais c'est aussi à cause de moi si la cohabitation s'est mal passée.

André se trouvait enfermé dans une contradiction qui le dépassait et qu'il vivait comme une fatalité. Il s'était senti porté vers une femme vindicative, dotée de ce qu'il appelle un sale caractère, un caractère de chien, et qui était farouchement éprise d'une vie fondée sur le couple. Mais en même temps il éprouvait un lien irréductible qui l'attachait à sa mère:

— Combien de fois t'ai-je dit, s'adressant à Irène, je ne l'ai pas faite ma mère, c'est elle qui m'a fait.

Parce qu'elle s'efforçait de rendre son mari heureux, Irène aurait voulu être aimée de sa belle-mère, persuadée que l'amour de la mère pour son fils et celui de l'épouse pour son mari, quelque part se rejoignaient. Les mots échangés à la surface pouvaient le laisser croire. Le bonheur du fils et du mari ne faisant qu'un. La célébration du mariage dans ce qu'elle avait de plus visible, de plus affirmé, portait une telle promesse. Parents, beaux-parents et jeunes mariés se trouvant réunis dans une joie commune. Mais par la suite devait se tisser peu à peu la trame de relations faisant apparaître la lutte de forces contraires au-delà des volontés personnelles. Ce qu'Irène appelait les crises de jalousie de sa belle-mère, exprimait le versant caché, toujours sous silence, du bonheur convoité: le désir de possession jaillissant comme une éruption juste dans les moments où le partage s'avère inévitable. De même, le sentiment douloureux d'Irène de constater par surprise l'intimité entre ses enfants et leurs grands-parents, quand à son retour de l'étable, en ouvrant la porte de la cuisine, tout le monde se taisait. Plus que les mots, le silence renseignait.

Que le couple se créât au point de se suffire, mettait en péril la transmission d'une génération à l'autre. Que le fils unique ne fût plus que l'époux, amenuisait la perspective de survivance des biens où le jeune couple s'était pourtant établi. Trop de complicité entre les époux formait un danger car elle pouvait engendrer un avenir tout à fait différent de ce que les parents espéraient comme prolongement d'eux-mêmes. En définitive, le jour du mariage avait placé les époux devant un dilemme : André allait-il faire sienne l'existence de l'étrangère pour la faire fleurir et puis fructifier dans la fidélité de ce moment où ils s'étaient rencontrés, chacun hors de chez soi, seuls tous deux au congrès de la Jeunesse Agricole Catholique ? Ou bien, allait-il poursuivre sa vie à partir de l'existence de ses parents dans le respect de sa naissance et de la dépendance correspondante, son épouse venant alimenter le fleuve de la transmission, depuis son statut d'étrangère maintenu ? Etrangère d'où l'on puise la force vive pour nourrir l'enfant déjà né depuis longtemps, le successeur. Et ainsi, les enfants de cet enfant élevés en successeurs suivant le cours des générations qui passent. Est-il vrai que les parents ne sont plus l'essentiel de sa vie, du jour où l'on se marie ? André était-il né du regard d'Irène, ou bien sa naissance avait-elle déjà eu lieu, un jour antérieur, du désir d'une autre union, celle de ses parents ?

André raconte combien les parents aiment acheter des meubles de salle à manger, de salon, au jeune couple qui s'installe :

— C'est mauvais, dit-il, ce n'est pas sain. Il vaut mieux avoir moins, et vivre à part.

Tous les efforts d'Irène pour écarter les meubles de la maison, ou bien les transformer au point de les reconnaître comme siens, tendaient à sortir de cette contradiction qui l'enserrait. Vivre chez ses beaux-parents était une trahison de celui qu'elle avait remarqué dans l'exclusive, quand elle dit : je ne savais pas qu'il était agriculteur, c'était un garçon qui me plaisait. En rejoignant l'activité de son mari elle se trouva en présence de l'agriculteur-par-ses-parents, unique héritier. Pourtant le mariage proclamait une union qui d'elle-même remettait en cause l'ancienne appartenance. En se mariant, les époux se trouvaient autorisés à tisser leur alliance au fil de leur vie quotidienne. Mais ce qui restait dans l'implicite était l'autre versant de ce mouvement de l'un vers l'autre. Chercher à vivre à part, c'est-à-dire pour Irène creuser la distance entre son mari et ses beaux-parents comme l'espace nécessaire pour que la mutualité de l'engagement devienne effectif, inscrit dans les objets et les évènements. Qu'Irène marque de son empreinte la maison, la ferme où André avait grandi indissocié de ses parents, impliquait de livrer à l'abandon ce qui en subsistait, au lieu de le cultiver comme le prolongement légitime.

Comment s'expliquer sur l'obligation de cet irrespect pour tout ce qui avait été rassemblé là, selon un arrangement inspiré d'une autre alliance, antérieure?

Depuis leur mariage, seul un aspect des choses avait été dit, reconnu comme réel, le positif de la vie. Qu'un couple se forme, qu'il ait des enfants, qu'il développe une entreprise, qu'il la transmette. Mais jamais il n'était soufflé mot de ce que cela supposait à chaque moment comme rupture et comme séparation. Seule l'expérience devait informer, avec une acuité d'autant plus acérée que les deux générations se trouvaient mêlées dans un même espace, une même activité, une même vie sociale.

C'est ainsi qu'Irène s'aperçut que faire sa place dans cette maison qui pourtant l'accueillait, impliquait défaire, qu'il fallait porter ensemble le désir de bâtir et celui d'effacer, la remise en cause étant par principe, au fondement de devenir épouse, mère, agricultrice. Tout ce qui était acquis et à sa place à son arrivée, se trouvait mis en doute. Au goût d'Irène, les murs de la salle à manger devaient s'embellir d'un crépi blanc, tandis que pour les beaux-parents, le progrès, c'était la tapisserie. Irène évoque le refus tenace de sa belle-mère; cette dernière transformation dut retentir en elle comme une condamnation:

— «Ça fait trois mois qu'elle est morte, elle ne voulait pas de murs en blanc, elle ne voulait pas de crépi, on l'a fait,» dit Irène.

Mais l'opposition avait atteint une telle ampleur que même l'absence de ses beaux-parents devient une nouvelle présence, diffuse celle-là, insaisissable. Malgré les modifications radicales qui furent accomplies, Irène se sent toujours étrangère comme si depuis le jour de son arrivée dans la ferme, le temps ne s'était pas écoulé:

— J'ai l'impression, quand je rentre de l'étable, de rentrer chez quelqu'un, mais pas chez moi. Je me demande si je m'habituerai à me sentir chez moi. Il me faudra du temps.

De quel temps parle-t-elle? Le temps de qui? de quoi? Elle évoque sa vie d'avant le mariage et de la séparation de ses parents, de sa maison, de son village pour, en se mariant, devenir quelqu'un. C'est par la négative qu'elle le ressent quand elle se souvient de ces vingt-cinq années de confusion avec la famille de son mari:

— J'ai trouvé pénible de ne jamais pouvoir être moi-même.

Cette place qui a été prise comme on gagne une guerre reste imprégnée de la fureur des combats et de ce fait, inhabitable.

— Finalement, je ne suis de nulle part, dit-elle.

André décrit la peur qui au fond, habitait ses parents devant ce qu'ils découvraient eux aussi de leur seule expérience. Les velléités du jeune couple de manger à part, de vivre ailleurs que dans la maison-mère alors que l'activité agricole se déroulait dans la même unité de production, représentaient pour eux une menace d'éviction, la peur de se retrouver... à l'hospice.

— Pourtant, ne pas faire vie commune, n'aurait pu qu'améliorer les relations, mais ils ne comprenaient pas.

Ils ne pouvaient comprendre la séparation à l'oeuvre faisant de leur fils un homme qui, se rapprochant de son épouse dans une relation spécifique, simultanément creusait une distance infranchissable:

— Ils n'arrivaient pas à penser qu'un couple puisse avoir à discuter intimement même ailleurs qu'au lit, notamment aux repas, dit André.

Et, développant l'affrontement des conceptions qui se trouvaient au soubassement des querelles quotidiennes:

— Pour eux, la famille ce n'était pas le couple et les enfants. La famille, c'étaient les vieux, les jeunes et les plus petits, tous ensemble comme une tribu, et non pas le fils avec la belle-fille et leurs enfants: à eux seuls ils ne pouvaient former une nouvelle famille. Le couple n'était admis que pour prolonger la famille. Il devait donc être intégré dès le départ.

André décrit combien ses parents éprouvaient la peur d'être abandonnés.

— Pour mes beaux-parents, il fallait suivre, dit Irène. Souvent, ils citaient le cas de vieux qui avaient été mis à la porte: des jeunes qui avaient trop de personnalité.

Irène comprenait la peur de ses beaux-parents d'une façon différente mais qui, en définitive, rejoignait celle de son mari :

— Pour moi, leur peur était une question de propriété. Ils avaient peur qu'on mette fin à la propriété, que la maison se vende. Pour eux, la propriété était le bien qui continue.

Évoquant les relations que les grands-parents entretenaient avec leurs petits-enfants, elle dit :

— Ma belle-mère adorait Gilles, notre fils. C'était le garçon, c'était l'aîné, elle voyait en lui l'héritier.

André se rappelle combien leur fils pouvait, plus que leurs filles, se montrer irrévérencieux envers la grand-mère sans encourir de sanction :

— Des fois, il la tourmentait, mais de lui, elle l'acceptait.

Aujourd'hui, Irène et André entrent dans une nouvelle époque. Celle de la transmission de la ferme. Leur fils, seul garçon et l'aîné des enfants, s'apprête à prendre la suite. Les deux filles, elles, sont destinées à un autre avenir, ailleurs. Elles devront partir. Pour cela, elles poursuivent des études ; le désir d'Irène est satisfait car elles réalisent ce qui pour leur mère ne fut qu'une aspiration. Irène sait qu'il n'est plus possible de dire de ses filles : elles se marieront, comme leur seul destin. Elle se soucie d'un emploi pour elles. De leur mariage, on n'en parle pas.

Le fils réalise le désir le plus impérieux de la grand-mère : que le bien continue. Il est l'héritier qu'elle avait pressenti le jour où il est né. Mais il n'a pas accepté les yeux bleus de l'aïeule, ni ceux de son père. Il a hérité des yeux de sa mère. Il aime l'agriculture, une agriculture compétitive, spécialisée. Il a fait des études agricoles dans cette perspective. Avec ses parents, il installe un bâtiment d'élevage de volailles reconnues par un label de garantie. Cette production sera la sienne, distincte de celle de ses parents qui poursuivent leurs activités sur la ferme jusqu'à leur retraite. Puis, le fils reprendra le tout à son compte. Il est jeune et fait régulièrement des stages de perfectionnement. N'étant pas encore marié, il partage la vie domestique de ses parents et participe à l'ensemble des travaux de la ferme.

Il dit qu'il n'a pas été véritablement témoin de la mésentente de ses parents parce qu'il était à l'école, pensionnaire comme ses soeurs. Quand il rentrait le vendredi soir, ses grands-parents l'accueillaient et il ne ressentait pas directement les difficultés de relations que pouvaient vivre ses parents. Cependant, il avoue qu'il se doutait bien que sa mère souffrait:

— Je me suis toujours dit que si mes grands-parents habitaient indépendamment de chez nous, je les aurais peut-être plus aimés. Les gens, quand on les voit un peu moins, on les apprécie peut-être plus. Il a du mal à entendre sa mère dire qu'elle est de nulle part. Il lui dit qu'elle exagère quand celle-ci répond à son fils qu'il ne peut pas comprendre, lui, de quoi il s'agit.

Ensemble, ils sont d'accord, les parents et le fils, qu'il ne sera pas question de vivre sous le même toit, qu'il faudra faire ménage à part:

— Pour autant qu'il puisse paraître anti-économique d'encourager un jeune à construire sa maison, car ça représente une lourde charge, nous pensons honnêtement qu'il faut le faire, dit André.

Toutefois, il pense que cette distance préalable établie, les conditions économiques de l'agriculture obligent à l'entraide entre les générations:

— On est obligé de se donner la main, de travailler ensemble.

— Oui, mais on ne vivra pas ensemble, répète Irène.

— Bien sûr, mais on peut avoir à donner un coup de main aux jeunes, pour garder leurs enfants, dit André. La belle-fille aura ou n'aura pas de métier. On ne sait pas.

André poursuit sa conception d'une vie qui à ses yeux, respecterait le domaine privé de chacun des ménages tout en permettant une collaboration professionnelle, et parfois une entraide familiale:

— De toute façon, il faut compter grand, il faut qu'il y ait carrément deux maisons ou deux appartements réellement séparés.

— Deux maisons qui tournent à chaque génération, ajoute Irène. Nous, on gardera notre maison, on gardera ici, moi j'y tiens. C'est la première fois qu'Irène parle d'une maison qui serait la sienne.

Alice Barthez
Sociologue

Quelques références bibliographiques :

Barthez A. Famille, travail et agriculture, Paris Economica 1982, 192 p.

Chamberlain A. et al., Paysannes des marais, Portrait de femmes d'un village anglais, Paris, Ed. des Femmes, 1976, 222p.

Crolais A.M., L'agricultrice, Paris, Ed. Ramsay, 1982, 211p.

Favret-Saada J. Les mots, la mort, les sorts. La sorcellerie dans le Bocage, Paris, 2d. Gallimard 1977, 332p., réédition en collection de Poche Folio, 1986

Lagrave R.M. (sous la direction de), Celles de la terre. L'invention politique d'un métier, Paris, Ed. de l'École des Hautes Études en Sciences Sociales, 1987

Mead M. Le fossé des générations, Paris ed. Denoël-Gonthier, 1979

Michel A. (sous la direction de), Les femmes dans la société marchande, Paris, Ed. des Presses Universitaires de France, 1978, 278 p.

Morin E., Commune en France. La métamorphose de Plodémet, Paris, Ed. Fayard, 1986 2ème édit.

Segalen M., Mari et femme dans la société paysanne, Paris, éd. Flammarion 1980, 211p. du même auteur Amours et mariages de l'ancienne France, Paris, Arts et Traditions Populaires, Berger-Levrault, 1981, 172 p.

Verdier Y. Façons de dire, façons de faire. La laveuse, la couturière, la cuisinière, Paris, éd. N.R.F. Gallimars 1979, 347p.

MAGDALENA ARBUZA

3 POUR UN TRANSFERT HEUREUX DU PATRIMOINE

Le ministère de l'Agriculture, des Pêcheries et de l'Alimentation du Québec (MAPAQ), soucieux de répondre aux besoins de plus en plus spécifiques de la clientèle relève agricole offre une gamme d'activités destinées à aider les futurs agriculteurs et futures agricultrices dans la préparation de leur établissement professionnel.

Ces activités ont été conçues pour aider la clientèle relève agricole tout au long du processus de préparation à l'établissement et du transfert de la ferme qui dure dans la province, en moyenne de 6 à 7 ans.

Parmi ces activités, trois sessions traitent des relations interpersonnelles dans l'établissement et le transfert de fermes familiales. Rappelons, en effet, que 95% des établissements agricoles proviennent du transfert de la ferme familiale.

Traditionnellement, les problèmes relatifs à l'établissement agricole, ceux qui étaient exprimés et considérés dans le milieu, étaient d'ordre financier et technique seulement. Actuellement, grâce à des actions de réflexion, de recherche, d'étude et d'expérimentation, on connaît l'importance de la personne et de la qualité des relations interpersonnelles dans l'efficacité d'une entreprise et en l'occurrence, ici, de l'entreprise familiale agricole. Celle-ci cependant demande une attention spéciale à cause des relations affectives familiales souvent complexes imbriquées dans les relations professionnelles. Et c'est la raison qui a amené le MAPAQ à considérer tout particulièrement ce secteur d'intervention.

On sait, par expérience, qu'une bonne communication entre les partenaires concernés par la sortie de l'entreprise agricole et par le projet d'établissement est le fondement des prises de décisions qui engendrent des résultats satisfaisants sur le plan humain, technique et économique.

Les trois sessions spécifiquement offertes aux familles agricoles s'adressent à trois clientèles qu'il faut distinguer et qui se supportent mutuellement pour faciliter le dialogue et la négociation dans un établissement et un transfert.

D'une part, **les enfants** concernés par un établissement:

pour les amener à voir ce qu'ils veulent et peuvent faire en agriculture (leur orientation, leur formation, leur intégration dans l'exploitation convoitée). C'est la session:

«Préparation à l'entrée dans l'entreprise agricole».

• D'autre part, **les pères et les mères** en regard de chacun d'eux et entre eux:

pour envisager leur retraite concrètement en fonction de la réalité vécue vis-à-vis de l'exploitation, leur patrimoine à transférer dans un délai plus ou moins long. C'est la session:

«Préparation à la sortie de l'entreprise agricole».

• En définitive, **les parents, les enfants et les conjoints de ceux-ci**, ensemble, en fonction des projets respectifs et communs dans la préparation de l'établissement et du transfert, afin de négocier efficacement. C'est la session:

«Communication parents-enfants reliée à l'établissement et au transfert de la ferme».

Une approche qui favorise une expérience à la fois humaine et professionnelle. Cette approche est fondée sur:

• la prise de conscience par les participants et les participantes de leur propre réalité physique, humaine, familiale, économique et professionnelle en regard de leur projet;

• la prise en charge par les participants et les participantes des gestes à poser en regard de leur propre avenir et en relation avec le devenir de l'exploitation.

Ces sessions, proposent aux participants un temps d'arrêt pour penser à leurs vrais besoins et désirs, en faire part à la bonne personne, et ceci dans une atmosphère de confiance, d'authenticité et de respect grâce à une aide professionnelle. De plus, le groupe constitué devient un lieu d'accueil et de support. En effet, les participants et les participantes réalisent la ressemblance de leurs problèmes familiaux et professionnels vécus. Ils constatent également « qu'oser sentir et dire » est relativement simple et surtout libérant pour cheminer vers des décisions heureuses, donc efficaces. Il faut cependant souligner qu'il ne s'agit pas ici de sessions de croissance personnelle, c'est-à-dire thérapeutiques, mais plutôt d'un engagement dans un processus de croissance professionnelle, c'est-à-dire orienté et devant déboucher sur une action pour :

— se préparer à acquérir une ferme ;
— mettre en marche la sortie de l'entreprise agricole ;
— opérationnaliser le transfert de la ferme.

Réflexions sur des situations vécues dans les sessions

Ces sessions, sont l'occasion de confronter en couple et en famille la situation souvent complexe du transfert du patrimoine. Les comportements habituels font surface au cours des activités où les personnes sont actives.

• Des femmes découvrent leur « pouvoir de mère » et l'influence qu'elles exercent indirectement sur la famille et l'exploitation en jouant un rôle d'intermédiaire entre leur mari et leurs enfants.

• Des hommes rencontrent la difficulté de vivre leurs sentiments surtout par rapport à leurs fils. Ceci se traduit par un silence et aussi par une suractivité : *« On a trop de travail, on n'a pas le temps de se parler »*.

• Des fils et filles vivent leur soumission et leur inhibition face à l'autorité. Ils se sentent comme « utilisés » pour pallier les difficultés vécues dans le couple parental.

Tous ces comportements affectent l'efficacité de la relation professionnelle qui doit nécessairement exister dans une exploitation familiale agricole et tout particulièrement à l'occasion de son transfert. Ils proviennent de sentiments bloqués et d'une incapacité à les communiquer et à les partager (peur de ne pas être reçu, compris...). La source de ces difficultés se trouve dans l'histoire de chacune des personnes. Chacune est donc la seule experte de son vécu. En cela elle doit être respectée, accueillie, supportée, aidée. C'est ce climat que doivent refléter ces sessions pour que tous atteignent leurs objectifs.

L'importance de la relation homme-femme est toujours présente pendant ces sessions... Il semblerait qu'il s'agit, pour la femme, de reconnaître ses qualités de décision et d'action dites «masculines» supportées par ses qualités de coeur dites «féminines», et pour l'homme, de reconnaître ses qualités de coeur qu'il a avantage à laisser s'exprimer pour mieux vivre ses qualités masculines.

En effet, on remarque que la femme exprime son esprit de jugement et de décision indirectement, en les camouflant, et ceci afin de laisser à son conjoint le soin de jouer le rôle de décideur qui lui est traditionnellement dévolu. Ce comportement est astucieusement soutenu par les qualités d'intuition et de sensibilité attribuées à son sexe. On se retrouve donc devant des femmes qui «s'effacent» totalement ou, qui exercent indirectement une emprise d'autorité sur le conjoint et les enfants. Quoiqu'il en soit, la communication interpersonnelle est dérangée par ce comportement ambigu. Par ailleurs, l'homme, ayant des difficultés à exprimer ses qualités de coeur non attribuées à son sexe, les refoule en se réfugiant généralement dans deux types de comportements:

— un comportement de «laisser faire»; il se referme, travaille beaucoup, ne prend pas de décision ou prend celle des autres (de sa femme). Ou alors,

— un comportement de violence exprimée ou non. Envahi par un sentiment de frustration, souvent à son insu, il adopte une attitude défensive rigide et autoritaire dans des situations conflictuelles comme celles qui se présentent dans un transfert de ferme.

Les qualités dites féminines ou masculines ne sont pas l'apanage d'un sexe seulement, cependant elles s'expriment différemment, selon la personnalité. L'acceptation et l'accueil de cette différence entre l'homme et la femme stimulent le plaisir et l'efficacité d'une communication harmonieuse. Actuellement, bien que les jeunes subissent une influence moins sexiste que les générations précédentes, l'évolution dans ce domaine est lente et délicate malgré les apparences.

Serait-ce à cause des liens privilégiés que les agriculteurs entretiennent avec la nature?... Ces sessions révèlent aussi la capacité de ces familles à dégager une atmosphère de réalisme, de simplicité, d'authenticité et d'intelligence où ce qui paraissait compliqué devient plus facile. C'est le résultat du déblocage des sentiments par une communication saine entre partenaires. La parole libère l'énergie nécessaire à l'action juste.

Les réflexions partagées jusqu'à présent démontrent l'importance de la qualité de présence des professionnels qui interviennent dans ces sessions. Ils doivent en effet s'ouvrir à toutes les dimensions de la personne et développer des compétences professionnelles indispensables pour permettre l'évolution harmonieuse des situations qui se présentent.

En terminant, soulignons que pour remplir sa mission, le MAPAQ accorde de plus en plus d'importance à la qualité de la ressource humaine qui, en agriculture, repose fondamentalement sur la qualité de la famille agricole.

Magdalena Arbuza
Direction de l'enseignement
en agro-alimentaire (MAPAQ)

MARIE-ANNE RAINVILLE

4 THÉRÈSE... UNE HISTOIRE D'AMOUR

Au pays, en rêve ou en chair, tout le monde côtoie une Thérèse Garon. Née Raymond, elle a passé sa vie de soixante-deux ans faits dans le même village. Elle a épousé son voisin. Elle a eu douze enfants. Dans sa seule histoire de vie, tout le folklore québécois chante et danse.

En 1948, elle épouse Roger et devient femme d'habitant après avoir été jusqu'à l'âge de vingt et un ans fille d'habitant. «Je suis tombée en amour pour vrai. Je ne voyais pas clair. Pourvu que j'aie mon Roger.» Fallait son innocence pour reprendre la ferme des beaux-parents, sans eau courante, sans toilettes. Vivaient dans ce décor pittoresque six autres personnes, dont deux vieux malades et une vieille.

«J'ai dit à Roger avant de me marier: «Quand j'aurai cinq enfants, ça sera assez.» De 1949 à 1967, elle en a eu douze. «Je n'avais pas de misère à avoir mes enfants, j'avais des grossesses faciles et une bonne santé. Les filles me disaient: «Maman, on vous a toujours vue enceinte.» J'en ai eu six à la maison. Ma mère, aujourd'hui âgée de quatre-vingt-douze ans, assistait le médecin qui fut le même pour les douze.» À chacune des naissances, elle avait droit à trois jours de repos. D'exceptionnelles vacances entre le travail à la maison, à l'étable et aux champs.

«Je trouvais que la ferme c'était de l'ouvrage. Pis pas rien que ça, on n'avait pas d'argent. L'agriculture, c'était pas payant. L'argent passait à acheter de la machinerie, d'autres terres. On avait juste une vingtaine de vaches. Un jour, on s'est mis à garder des cochons. Je disais: «Roger, ça nous prendrait des à-côtés.»

Après dix-sept ans de mariage, on a acheté des trayeuses.» Les journées commençaient à cinq heures pour ne jamais finir avant minuit. Elles s'étiraient parfois jusqu'à trois heures. «C'était pas pour m'asseoir pis lire, même si parfois j'aurais aimé ça. On faisait de l'artisanat par besoin, surtout de la couture. L'artisanat, ça m'a aidée à vivre. Je créais des choses.» Sa grande distraction: les fermières. D'ailleurs, plus tard, elle va leur enseigner le tissage et transmettre sa passion actuelle pour les fleurs.

«Quand on est émotionnelle, faut des fleurs et des «je t'aime». J'ai un tempérament nostalgique. J'ai ri dans la vie à cause de mon mari. C'est Roger-bon-temps. Toujours de bonne humeur, il amusait tout le monde.» Sa vie est une grande histoire d'amour. «Ça, c'est rare», dit-elle, tout accrochée à cette histoire qui a pris tout son coeur et toute sa vie.

Aujourd'hui, l'heure de la retraite a sonné. Ils ont vendu la terre, la maison et le roulant à l'un de leurs quatre fils. «J'aurais presque aimé mieux vendre à un étranger. Je le vois mal pris, endetté...» Silence. Trop d'émotions lui enrouent la gorge. «Comme ça, je ne serais pas prise par la situation.» Tout à coup, l'odeur de la colère angoissée chasse celle du varech.

Il y aurait encore tant à raconter. C'est long une vie. D'ailleurs la visite attentive de son immense jardin pourrait être aussi instructive. Les fleurs ont les formes et les teintes de son âme douce et fragile. Toujours soucieuse du bonheur des autres, elle m'offre des carottes de pivoines tendrement sélectionnées pour leur robustesse et leur endurance, pour qu'elles fassent le voyage de Kamouraska à la ville.

Marie-Anne Rainville, été 1988.
Conseillère en communications

CINQUIÈME PARTIE :

UN NOUVEAU RAPPORT À LA TERRE

«Never doubt that a small group of committed,
thoughtful citizens can change the world.
Indeed it is the only thing that ever has».

Margaret Mead

(Ne doutez pas qu'un petit groupe de citoyens conscients
et engagés ne puisse changer le monde.
En fait, c'est la seule chose qui l'ait jamais fait.)

DENISE CAMPEAU BLANCHETTE

1 À L'APPROCHE DE L'AN 2000

À la ferme familiale, dans les années 50, ma mère disait: «Si on veut manger à la maison, il faut que les vaches mangent à l'étable». C'était difficile à comprendre mais toute l'économie familiale était basée sur cet équilibre qui exigeait la production de biens pour assurer au maximum notre auto-suffisance.

Depuis, la poursuite de l'industrialisation a renforcé d'autres formes d'interdépendance basées sur des règles de marché. À l'approche de l'an 2000, ce fragile équilibre risque d'être remis en question. On semble devoir faire face à une lutte contre la pauvreté dans le monde, lutte qui est définie par Madame Gro Harlem Brundland, Premier Ministre de Norvège et Présidente de la Commission mondiale sur l'environnement et le développement, telle que citée dans le journal Le Devoir.

«...la lutte pour sauver nos vies et celles de nos enfants. Si la pauvreté gagne du terrain, la dégradation des écosystèmes planétaires s'accélérera. Les résultats seront rapidement visibles dans l'atmosphère par les changements climatiques et par la destruction des forêts tropicales. Autant de phénomènes qui reviendront frapper les riches de ce monde qui ne pourront plus éviter les conséquences».[1]

L'agriculture, et les femmes qui y travaillent, pourraient constituer les fondements d'une économie plus humaine. La reconnaissance économique de l'entrepreneurship des femmes contribuerait à l'articulation des politiques commerciales, tant

---

(1) Francoeur, Louis-Gilles. «Sortir le débat écologique des seuls milieux environnementaux». Le Devoir, 6 juillet 1988, p. 1

nationales qu'internationales, plus respectueuses de la qualité de vie. Dès lors, collaboratrices et productrices participeraient pleinement à l'établissement de nouveaux standards de vie.

DES FEMMES INDISPENSABLES

Quelques passages du livre d'Elisabeth Badinter nous permettent de retracer le développement de l'agriculture depuis la préhistoire et le rôle que les femmes y ont joué. (Selon une chronologie de la civilisation, on situe l'an entre 9000 et 4000 av. J.C. la découverte de l'agriculture). « Aujourd'hui, on s'accorde à penser que l'agriculture est une invention féminine. L'homme, occupé à poursuivre le gibier et plus tard à faire paître les troupeaux, était presque toujours absent. Au contraire, la femme, forte de sa tradition de collecteuse, avait l'occasion d'observer les phénomènes naturels de l'ensemencement et de la germination. Il était normal qu'elle essaie de le reproduire artificiellement...

...C'est ainsi que les femmes procédaient aux premières tentatives agricoles...

...à l'époque, nul ne songeait encore à nier la part essentielle des femmes dans le processus de la fertilité et de la fécondation. L'heure était au partage et à la nécessité du couple pour faire oeuvre de création.. ».[2]

XXe SIÈCLE

Nous avons le sentiment de vivre des transformations aussi importantes que celles du néolithique, à une époque où l'on réalise d'une part qu'il y a surpopulation et malnutrition et d'autre part qu'il y a surproduction et destruction des écosystèmes.

Le travail des femmes y est toujours aussi important.

DES FEMMES ACTIVES

Même si les statistiques ne les ont pas toujours incluses dans leurs données sur la population active, les femmes en agriculture ont toujours été actives. Ainsi, selon les données officielles de 1921, la main-d'oeuvre agricole canadienne comptait un peu

---

(2) Badinter, Elisabeth, L'un est l'autre, Paris, Édition Odile Jacob, 1986, p. 64, 66, 68, 84, 87

moins de 2% d'effectifs féminins, alors qu'en 1981, une personne sur cinq ayant déclaré une activité agricole était de sexe féminin soit: 107 560[3]

Pourtant, la population agricole de 1920 était de 3,18 millions et représentait 36,6% de la population totale alors qu'en 1976, elle n'était plus que de 1,38 millions soit 6% de la population totale.[4]

Le travail des femmes est indispensable et constitue une force importante dans le secteur agro-alimentaire.

Ce qui est le plus déroutant dans toutes ces données, c'est que ce travail indispensable des femmes est comptabilisé pour établir le Produit national brut (PNB) mais ne l'est pas quand on établit l'indice de productivité puisque l'on se base alors sur les heures travaillées déclarées. Cette absence de reconnaissance économique fournit une base d'information inadéquate sur laquelle sont prises certaines décisions tant économiques que politiques et permet surtout à l'économie de jouer le grand jeu de la concurrence internationale au détriment d'une partie importante de sa main-d'oeuvre. En incitant l'entreprise familiale à miser toujours plus au moyen de l'endettement et du travail pour faire face à la concurrence, on continuera de faire appel à l'entrepreneurship des femmes pour le maintien de cette structure de production basée sur des valeurs dites «stables». Ce cercle infernal ne cessera pas, tant que les femmes ne feront pas reconnaître la valeur économique de leur travail et n'imposeront pas leurs valeurs.

Il faut voir opérer une ferme sur une base quotidienne ou saisonnière pour comprendre à quel point elle doit être soutenue par une motivation profonde. Or, cette motivation est inscrite à la fois dans un projet de couple et dans un projet d'entreprise. Cette réalité doit être reconnue et acceptée par les deux partenaires impliqués et l'on doit bien définir les rôles de chacun non comme étant une relation d'autorité versus exécutant, mais bien une relation qui s'enrichit par l'apport et la compétence spécifique de chaque individu. L'important c'est l'objectif visé et le respect des complémentarités professionnelles.

---

(3) Morissette, Diane. La place aux femmes dans l'agriculture. Conseil consultatif canadien sur la situation de la femme, Ottawa novembre 1987, p. 146

(4) Mc Connell et al. L'économique Tome 2. Montréal 1983-1981, p. 295

ÉCONOMIE PLUS HUMAINE

Les femmes en agriculture représentent une force économique si par surcroît on considère qu'elles agissent en tant que collaboratrices ou productrices et qu'elles sont aussi consommatrices. Les décisions politiques actuelles influencent le quotidien. Si l'on veut une économie plus humaine, des choix s'imposent.

On assiste actuellement à la course à la productivité afin de demeurer compétitifs; il y a tout lieu de s'inquiéter des négociations commerciales en cours, telles les accords du libre-échange, du GATT, lesquels doivent réglementer le commerce international. A-t-on vraiment pensé à l'utilisation rationnelle des ressources humaines et physiques? Cette hantise de la performance, de la concurrence, cette course effrénée vers de nouvelles technologies vont-elles contribuer à accélérer la dégradation des écosystèmes tout en consacrant la fragilité des pouvoirs nationaux? Jusqu'où les structures de production devront-elles se transformer pour répondre à toutes ces exigences et qu'arrivera-t-il aux ressources humaines à la ferme familiale?

Selon Ernst Friedrich Schumacher, conseiller économique et créateur du concept de la technologie intermédiaire:

«Nous nous sommes laissés emprisonner par le gigantisme des institutions en y voyant une fatalité de la rentabilité économique alors qu'un examen attentif montre la rigidité, l'inefficacité et la tendance au gaspillage. Mettons plutôt en oeuvre des technologies intermédiaires, des organisations plus légères qui, tout à la fois, permettent de résoudre les problèmes et seront des lieux où il fera bon travailler parce qu'on s'y sentira utile».[5]

Des femmes ont dit avoir choisi l'agriculture parce qu'il fait bon y travailler et ce, même si on y trime dur. Les femmes devront faire valoir leur force économique pour obtenir des politiques économiques réalistes qui permettront de continuer de choisir de vivre d'agriculture et ainsi constituer les fondements d'une économie plus humaine.

POUVOIR: AU FÉMININ OU AU MASCULIN

Pouvoir: mot magique qui attire ou qui éloigne. Nous tenterons de voir comment utiliser son pouvoir dans les relations

(5) Informaq. avril 1980 «Good Work, le nouveau Schumacher exclusif»

avec autrui dans le cadre d'un processus de changement.

Le pouvoir est défini comme «l'habileté à faire quelque chose... Il importe de distinguer le concept de pouvoir d'autres concepts qui lui sont également reliés tel le leadership, le contrôle et la domination.»[(6)]

Il s'agit de bien se connaître pour savoir quel type de pouvoir on utilise dans sa relation avec l'autre.

Une façon de vérifier ses habiletés serait de connaître sa manière d'agir dans les différentes situations suivantes. Peut-on exiger du travail, tout en acceptant les erreurs?

Sait-on être à l'écoute de ses faiblesses et de celles des autres?

Considère-t-on l'autre comme une personne et non comme une chose?

Est-on capable de s'imposer sans avoir besoin de terroriser?

Peut-on manifester de la bonté pour les autres sans se sentir diminué?

Sait-on exprimer ses idées sans avoir besoin de prouver que les autres ont tort?

Voilà autant de comportements qui permettent d'utiliser le pouvoir de façon enrichissante.

Le pouvoir ainsi utilisé n'a rien de féminin ou de masculin, il permet à l'individu et à l'organisation (entreprise) d'atteindre ses objectifs en permettant à l'un et à l'autre de s'épanouir, de se réaliser.

CONCLUSION

L'heure est à la rentabilité. On veut à tout prix augmenter la productivité et ce, à cause de la concurrence...

Les incitatifs visent donc l'excellence et la performance. Les femmes en agriculture en sont capables, elles en ont fait la preuve. Mais elles se préoccupent aussi d'autres objectifs comme la qualité de vie et l'utilisation des ressources humaines et physiques. L'économie agricole ne doit pas être laissée aux seuls aléas du marché puisque le commerce des pommes n'est pas celui des frigidaires. En tant qu'entrepreneuses collaboratrices, productri-

---

(6) Bergeron, p. 204-205

ces et agentes économiques, les femmes peuvent assumer leur responsabilité collective en jouant le jeu ou en redéfinissant les règles du jeu. Quelle sera l'attitude des femmes? Vont-elles contribuer à redéfinir les systèmes de production, les structures économiques et l'utilisation des ressources, permettant ainsi d'établir de nouveaux standards de vie?

Denise Campeau Blanchette
Fille de conjoints-collaborateurs

PHOTO: JUDITH CRAWLEY

Prolongeant les préoccupations reliées à la qualité des relations entre les personnes, les femmes se montrent inquiètes de la qualité de nos relations avec la nature. La dénonciation de l'exploitation des femmes et des enfants s'étend à un refus de l'exploitation de la nature sans souci de ce qui lui arrive à elle. En fait, ce que veulent transformer les femmes, c'est le pouvoir-destruction, celui qui contrôle et assujettit, pour le remplacer par le pouvoir-puissance, celui qui crée, celui qui est source de vie. La chose n'est pas simple. Il s'agit d'une lutte entre deux géants : la vie et la mort.

LISE PILON

2 CHANGER LE RAPPORT HOMME-FEMME : UN DÉFI POUR L'AGRICULTURE BIOLOGIQUE AU QUÉBEC

Les fermes québécoises se sont modernisées en se spécialisant et en augmentant leur taille moyenne au cours des trente dernières années. On voit maintenant dans les campagnes des superficies cultivées allant jusqu'à dépasser mille acres, de la grosse machinerie, des troupeaux d'animaux se calculant par centaines ou par milliers de têtes et un usage intensif d'engrais chimiques et de pesticides, tout cela pour augmenter indéfiniment la production. Le revers de la médaille est un endettement très élevé, la multiplication des faillites et abandons de ferme, des problèmes aigus de stress, de santé et de sécurité pour ceux qui ont fait de l'agriculture leur métier.

Les familles agricoles ont-elles pu profiter de la modernisation et y gagner, en plus d'une meilleure situation financière, plus de bien-être et une meilleure « qualité de vie » ? Ou, au contraire, y a-t-il eu un prix à payer pour devenir moderne et se soumettre au progrès ?

On n'ose habituellement pas poser ces questions parce que cela suppose d'évaluer autant les avantages que les inconvénients d'un modèle de développement agricole. Il est plus facile de ne parler que des avantages et de passer habilement sous silence les inconvénients. On commence à peine à entrevoir l'ampleur des problèmes environnementaux, sociaux et humains générés par le modèle actuel de développement.

Au niveau environnemental, les agriculteurs observent dans leur entourage et sur leurs fermes des signes inquiétants : des sols durcis par compaction, une couche d'humus amincie et emportée par les vents, une plus grande difficulté à réussir les semences et les récoltes, une multiplication des accidents, des cas d'empoisonnements et d'allergies aux pesticides. En outre, différents rapports officiels ont alerté la population sur les problèmes criants engendrés par ce type d'agriculture : pollution des cours d'eau par les rejets des élevages industriels, contamination de la nappe d'eau souterraine par les engrais chimiques et les pesticides, présence de résidus de pesticides dans les aliments, pour n'en citer que quelques-uns.

Au niveau social, les jeunes connaissent depuis plusieurs années des difficultés quasi insurmontables pour reprendre la ferme de leurs parents ou s'installer en agriculture. Les campagnes se vident d'agriculteurs. L'exode des moins « performants » selon les critères gouvernementaux a engendré des problèmes sociaux. Les familles agricoles vivent dans l'isolement et la solitude suite à la disparition de l'entraide entre voisins, beaucoup de rangs ne comptant plus que quelques agriculteurs. On note aussi une diminution de la qualité des transports et des services dans les campagnes et même la fermeture de villages entiers dans certaines régions.

Au niveau humain, les agriculteurs aiment leur métier mais doivent le pratiquer dans des conditions pénibles. Le niveau de stress atteint des sommets quasi intolérables dans la plupart des familles agricoles. Le progrès technique n'a pas tenu sa promesse de libération. Si certaines opérations s'effectuent maintenant plus rapidement et sur de plus grandes surfaces, on doit par contre travailler plus pour payer les machines, les rentabiliser et les réparer. Les machines génèrent du bruit et de la pollution. Elles exigent de la surveillance et un rythme de travail de plus en plus rapide, sans compter les nombreux accidents.

De surcroît, il faut travailler dans un contexte d'incertitude et d'inquiétude constante quant aux revenus. Loin de s'améliorer, le revenu net agricole s'est détérioré de façon continue au Québec de 1973 à 1991. On ne peut donc pas parler de prospérité économique des familles agricoles en général comme a pu le laisser croire pendant plusieurs années le discours officiel.

À partir de 1985, des personnes du milieu agricole ont pris conscience que cela ne pouvait plus continuer ainsi, qu'on se dirigeait vers une impasse économique et écologique. Différents organismes ont dû admettre à contre-coeur qu'on ne pouvait plus ignorer la croissance phénoménale des coûts liés à cette forme d'agriculture. Les agriculteurs eux-mêmes étaient très mécontents de leur situation et inquiets pour leur avenir. Ils iront jusqu'à demander des comptes au gouvernement et à leur organisme syndical qui les avaient incités à **«s'embarquer»** dans ce modèle agricole.

Une alternative s'est développée au Québec depuis le début des années 1970. L'agriculture biologique. Elle s'est forgée dans la marginalité, grâce au dévouement sans limite d'individus courageux et déterminés à vivre l'agriculture autrement.

Une enquête réalisée de 1987 à 1990 avec deux échantillons d'agriculteurs, biologiques et conventionnels, répartis dans quatre productions spécialisées, fournit des données scientifiques intéressantes. Il est difficile, en ce domaine, d'avancer quelque certitude que ce soit, on ne peut que dessiner des tendances générales. Je présenterai donc ici des hypothèse provisoires fondées sur mes observations dans le cadre d'une recherche comparée sur les deux types d'agriculture mais aussi à partir de mon expérience de participation active, au cours de l'année 1990, à la mise en place d'un organisme de certification des produits biologiques.

L'agriculture biologique au Québec

L'agriculture biologique a fait ses preuves au Québec depuis une dizaine d'années. Elle est née et s'est développée sans reconnaissance officielle. Elle préconise non seulement une nouvelle manière de cultiver la terre, mais aussi une autre manière de percevoir les rapports des êtres humains avec la nature. L'agriculture biologique, c'est un projet de transformation sociale.

Dans ce contexte, les rapports de type patriarcal entre les hommes et les femmes vont-ils se maintenir sous une enveloppe moderne ou se transformer en rapports plus égalitaires?

Quelques personnes commencent à cultiver des légumes «biologiques» à petite échelle, sans beaucoup de moyens et à temps partiel vers 1976. Cultiver «biologique» signifie alors s'abstenir d'utiliser des produits chimiques pour la fertilisation, le contrôle des insectes, des maladies et des mauvaises herbes en se référant à un savoir-faire qu'on doit aller chercher en Europe d'une façon autodidacte par des stages, des rencontres et des lectures.

Des adaptations seront nécessaires, on ne peut importer telles quelles les techniques développées en Europe. Lentement, ces producteurs construiront leur expérience en tirant des leçons de leurs succès et de leurs échecs. Disposant de peu de moyens, ils achètent des fermes abandonnées ou situées dans des régions périphériques qu'ils reconstruisent à force de travail au cours des années. Obligés d'avoir un autre métier pour vivre, ils commencent d'abord à temps partiel à « remonter » leur terre en préparant le sol pendant plusieurs années pour lui redonner sa fertilité avant d'espérer en tirer des revenus.

En dehors du système des subventions et du crédit agricole, ils doivent bâtir leur exploitation par leurs propres moyens, en investissant leur salaire et celui de leur épouse sur la ferme pendant plusieurs années avant de pouvoir vivre de l'agriculture. Ils ont accepté de vivre pendant plusieurs années dans des conditions difficiles **pour prouver qu'une agriculture respectueuse de la nature était une alternative viable à la situation actuelle.**

En 1987, le Mouvement pour l'agriculture biologique (MAB) certifiait 67 agriculteurs biologiques et une vingtaine de producteurs avaient choisi de se faire certifier par un organisme anglophone, l'Organic Crop Improvement Association (OCIA). En 1988, le nombre de producteurs certifiés biologiques par ces deux organismes de certification dépassait pour la première fois la centaine. L'intérêt se développait pour ce genre d'agriculture dans le milieu agricole lui-même.

Animés d'une volonté de vivre des rapports harmonieux avec la nature, l'agriculture biologique a d'abord suscité l'hostilité ouverte du milieu agricole. Ceux qui y croyaient étaient ridiculisés comme étant des marginaux idéalistes, peu sérieux et peu crédibles. Ils ont été même persécutés à certaines occasions, comme tous ceux qui proposent des idées et des pratiques nouvelles. À partir de 1988, un mouvement de sympathie pour ce type d'agriculture se développe. Aux prises avec des problèmes économiques et écologiques de plus en plus graves, les agriculteurs conventionnels commencent à prendre les agriculteurs biologiques au sérieux. Cette évolution des idées aura sa correspondance chez les agriculteurs biologiques : ils ont appris leur métier d'agriculteur, ils ont formé un syndicat pour faire reconnaître leurs droits, et ils ont réussi, chacun dans son rang, à gagner l'estime et le respect de leur entourage.

Il y a, depuis 1989, une volonté ferme de la part des intervenants majeurs en agriculture, le ministère de l'Agriculture, des Pêcheries et de l'Alimentation du Québec (MAPAQ) et l'Union des producteurs agricoles (UPA) de reconnaître l'agriculture biologique et de l'aider à se développer. Cette reconnaissance se manifestera en 1989 et en 1990 par les gestes suivants : une déclaration officielle de l'appui du MAPAQ et de l'UPA à l'agriculture biologique en 1989 ; un support financier et logistique accordé à la Fédération d'agriculture biologique par l'UPA et le MAPAQ ; la mise en place par le Ministère en 1989 d'un plan d'intervention intégré en agriculture biologique pour trois ans et enfin, la fondation, en mai 1990, de **l' Organisme pour le contrôle de l'intégrité des produits biologiques,** un organisme de certification provincial sans but lucratif qui certifie les producteurs biologiques sous la marque de certification PRODUIT BIOLOGIQUE CERTIFIÉ QUÉBEC-VRAI dont le Ministère a la propriété exclusive.

Un changement de valeurs

S'il est vrai que l'agriculture biologique est une nouvelle façon de cultiver, on ne doit pas la réduire à une simple technique agricole. Notre société a adopté une conception réductrice de l'agriculture : tout se ramène à la technique et le travail agricole se limite au travail manuel. Pour comprendre ce qui se passe en agriculture biologique, on doit adopter une autre perspective. Il faut tenir compte du fait que c'est l'être humain qui pratique l'agriculture et réfléchir sur les rapports qu'il entretient avec la nature et avec les autres êtres humains. L'agriculture n'est pas uniquement constituée de gestes techniques, c'est aussi une vision du monde et un savoir-faire en même temps qu'un projet social.

Si on veut comparer l'agriculture conventionnelle à l'agriculture biologique, cela n'a aucun sens de considérer uniquement les différences de technique. Il faut aussi prendre en considération les valeurs et les conceptions du monde véhiculées par chaque type d'agriculture. Je soulignerai ici brièvement les différences de valeurs entre les deux types d'agriculture à trois niveaux: la conscience écologique, le savoir agricole et la recherche de l'autonomie.

CONSCIENCE ÉCOLOGIQUE

Tout mouvement alternatif se construit, à ses débuts, en prenant ses distance par rapport aux tendances sociales dominantes. Dans les années 1970, c'est la prise en compte des facteurs de pollution de l'air, de l'eau, du sol et des aliments qui a conduit à la recherche de solutions alternatives.

L'agriculture biologique s'inscrit dans ce courant d'idées. Elle repose sur une prise de conscience, celle des liens étroits qui existent entre la santé des êtres humains et leur alimentation. Elle s'appuie sur les progrès scientifiques récents dans la connaissance de la biochimie du sol et des plantes.

La conscience écologique se manifeste à trois niveaux: le constat que la production et la transformation industrielle des aliments ont des effets négatifs sur la santé humaine; une volonté de respecter le sol, les plantes et les animaux dans leurs cycles naturels et finalement, un sentiment de responsabilité du producteur agricole envers les consommateurs qui les incite à vouloir contrôler la qualité des aliments de la ferme.

C'est cette prise de conscience des liens entre l'alimentation et la santé qui incitera, dans un premier temps, cette minorité à changer ses habitudes alimentaires et à se préoccuper de la qualité des aliments. Par la suite, certains décideront d'acheter une ferme et de pratiquer l'agriculture biologique dans un but d'autosubsistance au début, mais par la suite pour en vivre. Une fois établis, leur motivation principale est la volonté d'offrir aux consommateurs un aliment nutritif qui satisfait des normes de production très exigeantes. Cela constitue le centre de leur conscience écologique, des valeurs affirmées, mais aussi partagées et vécues dans les gestes de leur vie quotidienne.

SE RÉAPPROPRIER LE SAVOIR

La différence entre l'agriculture conventionnelle et biologique se révèle au niveau du savoir de l'agriculteur. Les agronomes, les vétérinaires, les fonctionnaires du crédit agricole et du ministère de l'Agriculture, les chercheurs universitaires et les laboratoires de recherche gouvernementaux sont à la disposition de l'agriculteur conventionnel. Quand un problème se présente, il peut puiser dans un savoir collectif accumulé depuis 40 ans qui lui offre un ensemble de solutions toutes faites. Il n'a qu'à appliquer les recettes qu'on lui propose.

Plus les fermes grossissent et intensifient leur production, plus le fardeau de leur dette est élevé et plus il devient important de faire appel à des conseillers extérieurs pour résoudre les problèmes courants car on ne peut prendre aucun risque. La progression rapide des méthodes et des techniques nouvelles dévalorise l'expérience des agriculteurs et agricultrices. Leurs connaissances sont jugées désuètes et peu pertinentes pour réussir leurs cultures et leurs élevages. Dépossédés en quelque sorte de leur savoir, ils sont devenus dépendants d'un bagage scientifique formé en dehors de l'agriculture. Un changement se dessine à cet égard ces derniers temps, suite aux remises en question des recettes toutes faites par les agricultrices, quelques conseillers et conseillères tentent de les impliquer davantage dans la prise de décision.

Pour pratiquer l'agriculture biologique, il faut connaître davantage son sol, les insectes ravageurs, les maladies des plantes et des animaux afin d'éviter de résoudre ces problèmes à l'aide de produits chimiques. Cela nécessite une observation attentive de ce qui se passe sur sa ferme et la maîtrise de connaissances théoriques qu'on est en mesure d'appliquer pour résoudre les problèmes qui se présentent. Les agriculteurs et agricultrices biologiques sont des autodidactes qui sont allés chercher leurs connaissances théoriques aux États-Unis, dans les autres provinces du Canada et en Europe en rencontrant des agriculteurs expérimentés, en suivant des cours et en participant à des stages.

Ils ont aussi fait leurs propres expériences et payé de leurs erreurs l'apprentissage du difficile métier d'agriculteur. La science agricole s'en est complètement désintéressé jusqu'à très récemment et elle semble dépassée par la progression rapide de cette forme d'agriculture qui s'est développée malgré un encadrement scientifique et technique à peu près inexistant jusqu'en 1989. Il s'ensuit que les agriculteurs biologiques sont donc actuellement les seuls dépositaires de ce savoir qu'ils ont construit dans leurs fermes en se réappropriant les connaissances et le savoir-faire dont l'agriculteur conventionnel a été dépossédé. Ils savent non seulement ce qu'ils doivent faire, mais ils sont capables de dire le pourquoi des choses et de l'expliquer verbalement.

LA RECHERCHE DE L'AUTONOMIE

Les agriculteurs biologiques accordent une grande importance à l'autonomie de la ferme par rapport aux fournisseurs d'intrants et par rapport à l'État. Sans rechercher uniquement l'autosuffisance, ils recherchent un mode différent de relation qui leur assure une plus grande marge de manoeuvre.

L'adoption de la fertilisation organique (composts et engrais verts) favorise l'autonomie des fermes par rapport aux fournisseurs d'intrants. Le critère de réussite d'une ferme en agriculture biologique est sa capacité de fertiliser ses cultures, de combattre les parasites et les maladies des plantes et des animaux en achetant le moins possible à l'extérieur. La ferme idéale permettrait le recyclage complet de la matière organique sur la ferme sans apports extérieurs. Il n'est pas jugé «écologique» de faire venir des fertilisants de l'extérieur de la ferme, surtout s'ils viennent de loin. Les fermes spécialisées en productions végétales se considèrent transitoires vers une ferme plus polyvalente comprenant à la fois des cultures et des animaux. En attendant, elles achètent du fumier produit localement qu'elle font composter pendant au moins un an.

La monoculture et la spécialisation sont mal vues en agriculture biologique : on favorise l'implantation de fermes où l'élevage des animaux joue un rôle important dans l'apport de fertilisants organiques produits sur la ferme.

On retrouve la même volonté d'autonomie par rapport au crédit agricole étatique. Répondant rarement aux critères de la Société du crédit agricole ou de l'Office du crédit agricole pour obtenir des prêts, ils ont dû financer leur ferme par leur travail à l'extérieur et celui de leur épouse. Ils refusent en grande partie de s'endetter pour de gros montants pour financer une expansion rapide de leur ferme. Ils préfèrent une progression plus lente avec un minimum d'endettement. Depuis 1989, un certain nombre ont obtenu des prêts de l'Office du crédit agricole parce que leurs projets sont pris plus au sérieux et qu'ils ont su prouver la rentabilité de certaines productions biologiques.

Vers un rapport homme-femme différent?

Dans le cadre d'une enquête sur la transmission des fermes, en 1982-1983, il était frappant de constater que la génération des agriculteurs sur le point de prendre sa retraite fonctionnait selon un mode inégalitaire de rapport homme-femme. Les femmes n'avaient aucun titre de propriété des biens agricoles qui étaient au nom du mari. La majorité des mariages réalisés depuis 1950, sous le régime de la séparation des biens, désavantageait nettement les femmes au niveau de la reconnaissance de leur apport à l'acquisition des biens du couple.

De plus, le droit des successions québécois avait développé une conception personnelle du patrimoine familial qui avantageait nettement le mari au détriment de la femme. Plus précisément, les biens agricoles étaient considérés par la loi comme la propriété personnelle du mari, ce qui perpétuait la tradition d'exclure automatiquement les femmes de l'héritage des fermes et l'accès à la propriété des biens agricoles pendant leur mariage.

Le couple mari-autoritaire femme-soumise fondé sur une différence importante de pouvoir entre l'homme et la femme dans la famille et dans la propriété des biens agricoles était alors le couple typique. On demandait aux femmes un dévouement sans borne et la soumission à leur mari. Dans quelques cas exceptionnels, elles obtiendront une reconnaissance partielle du travail accompli sur la ferme lors de la vente de la ferme aux enfants ou à des étrangers. Ce sera alors une initiative du mari et, les décisions de ce genre étant rares, elles rencontreront souvent l'opposition de l'entourage et des autorités. Il faudra alors aux femmes une forte dose de courage pour se battre seules contre un système qui ne les reconnaît pas.

Le mouvement féministe, développé au cours des années 1970 dans les villes, trouvera un écho dans les campagnes dans les années 1980 : il donnera lieu à l'organisation de deux mouvements pour promouvoir l'accès des femmes à la propriété des biens agricoles : l'Association des femmes collaboratrices et la Fédération des femmes en agriculture, une fédération de syndicats affiliée à l'Union des producteurs agricoles regroupant sur une base locale et régionale les femmes en agriculture.

L'Association des femmes collaboratrices s'adresse à toutes les femmes collaboratrices et recrute 25% de ses effectifs en agriculture. Elle travaille au niveau de la reconnaissance légale de la valeur économique du travail des femmes sur les fermes. La Fédération des femmes en agriculture regroupe les femmes collaboratrices et celles qui ont le statut de productrice agricole. Elle orientera son action sur une base professionnelle qui vise à construire une organisation permettant aux femmes de participer sur un pied d'égalité avec les hommes aux décisions concernant l'ensemble de l'agriculture.

Ces deux organismes ont obtenu pour les femmes en agriculture certains acquis au niveau légal comme la prestation compensatoire, la légalisation de la société époux-épouse et l'élimination des clauses discriminatoires pour les épouses d'agriculteurs dans l'accès au crédit agricole et aux subventions. Voyons l'impact de l'une de ces mesures, la société époux-épouse.

Une enquête menée en 1985 auprès d'un échantillon de 20 sociétés époux-épouses formées dans la région de Québec a révélé que cette nouvelle forme de propriété juridique des fermes semble avoir eu un impact mitigé sur l'amélioration de la situation des femmes. En effet, un certain nombre de sociétés à part égale (50%-50%) se sont formées mais la plupart accordent la plus grande part au mari, la femme demeurant un partenaire secondaire avec 20%, 30% ou 40% des parts, ce qui signifie souvent une participation inégale aux décisions. Alors que le but recherché par les femmes était l'accès à la propriété des biens agricoles, on se rend compte qu'à l'usage, les motifs qui ont mené à ce type d'arrangement visaient plus à résoudre des problèmes pressants d'accès de la ferme au crédit agricole et aux subventions, qu'à véritablement reconnaître le travail des femmes. On peut aussi se demander si les femmes ont réussi à aller chercher la part qui correspondait à leurs apports antérieurs et à leur contribution présente à la viabilité de la ferme.

La modernisation rapide de l'agriculture a entraîné des coûts importants en termes de « qualité de vie » dont ont pris conscience les femmes qui se sont regroupées au sein de la Fédération des femmes en agriculture. Elles en ont fait une de leurs revendications prioritaires en 1986, 1987 et 1988 lors de leurs assemblées régionales et provinciales et elles ont demandé à des chercheures de l'Université Laval de collaborer avec elles pour définir les problèmes des femmes relatifs à la qualité de vie sur les fermes.

Mes observations révèlent que les familles agricoles vivent dans des conditions difficiles : il faut travailler de longues heures, de façon intensive et pour un revenu incertain. Les revendications des femmes exprimées en termes de qualité de vie reflètent une prise de conscience que les conditions modernes de la production agricole n'ont pas apporté le bien-être qu'elles promettaient. Obligés maintenant, comme les ouvriers d'usine, de suivre le rythme des machines, de faire des gestes précis de plus en plus rapidement, de réaliser un grand nombre de tâches dans un temps très court, les agriculteurs subissent une fatigue mentale qui s'ajoute à la fatigue physique. Si l'on ajoute à cela les aléas de la température, le danger d'empoisonnement par les produits chimiques utilisés, les risques élevés d'accidents avec les machines, les remboursements de dette de plus en plus à court terme, il n'en faut pas plus pour comprendre à quel point la santé, la vie familiale et la vie sociale des familles agricoles se sont détériorées. Un grand nombre d'agriculteurs entre 50 et 65 ans souffrent de maladies de dégénérescence comme les cancers, les maladies cardiaques, les maladies respiratoires. L'âge moyen à la retraite se situe autour de 55 ans dans l'agriculture alors qu'il est de 65 ans pour les travailleurs des villes. À cet âge, un agriculteur est usé, probablement atteint d'une maladie chronique et il a vieilli prématurément.

La pratique du « loisir » et des « vacances » est demeurée longtemps quelque chose d'inaccessible pour les familles agricoles. On a de la difficulté à trouver du temps pour soi, pour sa vie familiale, pour ses amis. Les relations de voisinage, auparavant au centre de la vie sociale dans les campagnes, sont devenues distantes et parfois hostiles à cause d'une mentalité de compétition entre les fermes. Les réseaux naturels d'entraide et de support se sont effrités, laissant les familles agricoles à elles-mêmes, de plus en plus isolées. Les femmes et les enfants étant les premiers à souffrir de cette situation, les militantes soulèveront le problème de la «qualité de la vie» publiquement dans leurs organisations.

Si on peut considérer que les femmes ont obtenu une reconnaissance de la valeur de leur travail, l'égalité des tâches et des responsabilités n'est pas pour autant accomplie. Le partage des tâches ménagères et de l'éducation des enfants est difficile à obtenir et à maintenir. La double tâche avec peu de facilités de gardiennage demeure une réalité quotidienne pour un grand nombre de femmes vivant sur des fermes.

De plus, la dégradation des revenus agricoles a rendu indispensable le travail des épouses pour remplacer le ou les employés qu'on n'a plus les moyens de payer. Quelquefois, quand la situation est vraiment inquiétante, les femmes vont travailler à l'extérieur de la ferme pour maintenir la ferme à flot car il faut payer les dettes énormes contractées pour acquérir la ferme et la faire fonctionner selon les critères gouvernementaux de rentabilité.

Si on pousse la réflexion plus loin, améliorer la «qualité de vie» des fermes voudrait dire aller jusqu'à changer le modèle de développement agricole. Refuser le gigantisme et la course à la productivité, mieux reconnaître la valeur du travail des agriculteurs et des agricultrices en leur donnant des revenus décents et prendre le temps de respecter la nature et de vivre en harmonie avec elle. Qu'en est-il de ceux qui pratiquent l'agriculture biologique?

Un petit nombre de fermes en agriculture biologique ont plus de cinq années d'expérience en agriculture. Nos affirmations les concernant devront donc être considérées comme provisoires. Si les agriculteurs biologiques s'inspirent de valeurs différentes, est-ce que cela change les rapports entre les hommes et les femmes?

Les fermes en agriculture biologique sont la propriété d'un couple, la société époux-épouse 50%-50% y est largement répandue. Elles sont généralement petites et emploient rarement plus de deux travailleurs à temps plein. Contrairement aux familles de leur entourage, le partage égalitaire des tâches ménagères et de l'éducation des enfants a gagné de nombreux adeptes autant quand la femme travaille à l'extérieur que lorsqu'elle travaille sur la ferme.

Cela tient à des valeurs différentes autant qu'à des circonstances particulières. Du côté des valeurs, l'agriculture est conçue comme une entreprise impliquant des partenaires égaux. La division du travail se réalise plus selon les goûts et les compétences de chacun que selon une conception pré-établie des rôles sexuels. Les tâches sont partagées autant à la ferme qu'à la maison selon les disponibilités de chacun. De plus en plus d'hommes n'hésitent pas à faire la cuisine, le ménage et à s'occuper des enfants pendant que leur épouse est occupée aux champs ou travaille à l'extérieur. Du côté de la conjoncture, l'obligation pour chacun, à intervalles réguliers, de trouver un travail à l'extérieur pour faire vivre la ferme aménage différemment la division du travail à la maison et sur la ferme.

Pour améliorer leurs revenus, les agriculteurs biologiques transforment les produits de leur ferme sur une base artisanale (fromage, yogourt, farines, pain, produits lacto-fermentés, aliments pré-cuisinés) et les femmes y jouent un rôle très important. Elles ont souvent la responsabilité complète de la transformation à la ferme et de la vente des produits.

La participation des femmes a été reconnue par le premier nom donné au regroupement d'agriculteurs biologiques : « Syndicat des agriculteurs et agricultrices réunis » qui est devenu par la suite la « Fédération d'agriculture biologique du Québec ». Dès le début, les femmes y occuperont des postes au sein du conseil d'administration.

Si le rapport homme-femme apparaît un peu plus égalitaire en agriculture biologique, cela ne signifie pas que tout soit gagné pour les femmes pour autant. Les conditions de vie de ces femmes sont difficiles car elles doivent souvent combiner le travail à l'extérieur, les tâches ménagères et le travail à la ferme durant l'été et les périodes de vacances. Cet emploi est souvent un emploi de bureau ou un emploi professionnel car dans bien des cas elles ont fait des études collégiales et même universitaires. Il leur faut parcourir de 50 à 100 kilomètres matin et soir pour aller travailler, faire leurs courses, obtenir des services médicaux. Elles doivent vivre avec de faibles revenus car le seuil de rentabilité est long à atteindre quand on n'a pas accès au crédit agricole et aux subventions. À cela s'ajoute l'isolement physique et social vécu à cause de l'installation des fermes dans des régions périphériques dépeuplées par l'exode rural, loin de leur famille et de tous les services, surtout en hiver. Elles vivent intensément la marginalité sociale provenant de l'incompréhension et quelquefois de l'hostilité de leur milieu environnant envers l'agriculture biologique.

CONCLUSION

Le milieu agricole évolue très rapidement. Des changements inconcevables il y a dix ans sont en train de se produire. Les rapports homme-femme ont changé vers plus d'égalité autant en agriculture conventionnelle qu'en agriculture biologique. Cela s'est toutefois passé différemment dans ces deux formes d'agriculture.

La pénétration des idées féministes dans les campagnes et la formation d'un mouvement des femmes en agriculture ont largement contribué à faire évoluer les mentalités en ce qui concerne le rapport homme-femme chez les agriculteurs conventionnels. Les femmes se sont organisées, ont formulé des revendications précises et ont agi comme groupe de pression pour faire avancer les choses. Elles ont obtenu l'accès à la propriété mais aussi aux centres de décision. Même si tout n'est pas gagné pour les femmes en agriculture, un changement s'est opéré vers des rapports plus égalitaires entre les hommes et les femmes.

La modernisation de l'agriculture repose sur des valeurs privilégiant la quantité plutôt que la qualité, la machine et le volume de production plutôt que l'être humain. Ces valeurs ont été mises en pratique au moyen d'un savoir scientifique orienté vers la domination de la nature. Le mouvement féministe en agriculture est à la fois une prise de conscience de cette situation et une tentative de la changer.

L'agriculture biologique va plus loin et opère un renversement de valeurs : c'est la qualité qui est importante, la quantité est secondaire, la préservation de la nature passe au premier plan parce qu'on est conscient de ses liens avec la santé et l'équilibre de l'être humain. En principe, il devrait s'ensuivre des rapport humains plus égalitaires et plus harmonieux, notamment au niveau du rapport homme-femme. Mais cela constitue un idéal à atteindre et l'écart entre l'idéal et la réalité peut être plus ou moins grand. Il serait dangereux et illusoire de croire que l'agriculture biologique résout tous les problèmes du rapport entre les hommes et les femmes.

Il faut dire que les femmes en agriculture biologique sont moins revendicatrices et moins organisées que leurs homologues d'agriculture conventionnelle. Elles participent aux syndicats locaux et régionaux de femmes en agriculture sur une base individuelle et ont à négocier chacune avec leur partenaire. Elles participent aussi, mais en petit nombre aux différentes instances de décision en agriculture biologique mais elles demeurent minoritaires au sein d'une minorité.

Dans la mesure où de plus en plus d'agriculteurs conventionnels se convertiront à l'agriculture biologique dans les années qui viennent, il serait dangereux que cela se réalise en appliquant seulement les techniques culturales et en ignorant toute la philosophie qui leur a donné naissance, la conscience écologique. C'est cette conscience écologique qui seule peut garantir que le produit sera réellement « biologique » et éviter les pratiques frauduleuses ayant pour effet de tromper les consommateurs sur la qualité du produit.

Se convertir à l'agriculture biologiquc signifie dans cette perspective **changer de système de valeurs**. Ccla vcut dirc se départir d'une conception masculine de domination et de conquête de la nature pour adopter une conception plus féminine de respect et d'harmonie avec les êtres vivants. Autrement dit, plutôt que de forcer les plantes et les animaux à s'ajuster à nos désirs de productivité et de rentabilité, établir un lien d'amour qui s'exprime par le respect. Les rendements n'en seront pas diminués, bien au contraire.

Il est prouvé qu'il est beaucoup plus facile de changer de technique que de changer de système de valeurs. Changer de technique n'engage pas l'ensemble de la personne, il suffit d'appliquer des connaissances pré-établies. Passer d'une conception masculine à une conception féminine de nos rapports avec la nature nécessitera **un changement intérieur profond chez les hommes, reconnaître en soi et chez les autres le féminin et le laisser s'exprimer librement.**

À ce titre, les femmes sont porteuses d'un enthousiasme, d'une volonté de vivre un idéal et d'y rester fidèle qui en fait une force au sein de l'agriculture biologique, une force qui devra être pleinement reconnue et acceptée pour que cette forme d'agriculture puisse progresser.

Lise Pilon
Anthropologue

BIBLIOGRAPHIE

Pilon-Lê, Lise (1987) «*Les agricultrices au Québec: leurs luttes pour la reconnaissance dans le contexte actuel*», CAHIERS DE RECHERCHE DU GREMF, no.14, 17-28.

Pilon, Lise (1989) « L'*agriculture biologique au Québec: une question de techniques ou une question de valeurs?», Communication présentée au Congrès des sociétés savantes de 1989, 20p.*

DANIÈLE DANSEREAU

3 VOIE LACTÉE

Il est sept heures du soir. C'est l'heure du repas. Je ne les connais pas toutes par leur nom. Il y a Sophie et Sissy, Nana, Mireille, Abeille... En tout elles sont 24. Dehors c'est l'automne froid et venteux mais à l'intérieur règne unc chalcur rassurante, ponctuée par les sons familiers de la mastication des bêtes. Ça sent bon. Une vingtaine de poules picorent librement dans les allées.

Il est sept heures du soir et Audrey passe d'une vache à l'autre pour distribuer les rations de grains avant de passer à la traite.

Audrey ne s'est pas retrouvée en production laitière en suivant une voie traditionnelle.

L'aventure est née avec le désir, il y a une quinzaine d'année alors qu'elle avait déjà trois enfants en bas âge et qu'elle étouffait en ville, d'acheter une ferme et d'y avoir quelques vaches. Pour le lait surtout, pour les petits. Et aussi pour le contact avec la nature, avec les bêtes. Elle a un compagnon, Philippe, partenaire de cette belle folie qui lui, a déjà l'expérience du métier. De fil en aiguille, après l'achat de quelques vaches canadiennes, le rêve d'une fromagerie artisanale prend forme. Rêve sur lequel elle s'acharne plusieurs années. Après la naissance d'un quatrième enfant, elle suit des cours, fait des expériences, perfectionne sa recette, engage un expert, trouve un emballage et une marque de commerce, met au point un produit tout à fait remarquable. Ils font l'acquisition d'un troupeau plus substantiel.

Mais c'était le mauvais moment. Les années difficiles où les petites fromageries se faisaient toutes fermer par les grosses. Elles n'a jamais eu son permis. Le lait n'est jamais devenu fromage. À partir des trayeuses mécaniques, il suit maintenant la voie du lactoduc, de la citerne réfrigérée et demain de l'usine de transformation.

Audrey aime ses vaches. Et même si son rêve n'est jamais devenu réalité, même si le travail est dur et peu rentable, même si l'argent est rare et les problèmes incessants, même si des fois, elle et Philippe ont envie de tout lâcher et même si ce soir il fait froid, à l'intérieur de l'étable tout ça prend du sens. Les soins quotidiens requis par les vaches, génisses, veaux, chèvres, poules et chevaux...c'est un peu comme un yoga. Ça garde en forme et le corps et l'esprit. S'ils laissaient tomber, ce sont ces heures-là qui lui manqueraient.

Maintenant les enfants sont grands. L'amour pour les animaux s'est transmis. Deux d'entre eux veulent devenir vétérinaires. Des questions cruciales se posent: être plus rentables, plus productifs ou abandonner.

En attendant, elle partage avec Philippe les travaux de la ferme et ses temps libres passent à l'organisation d'un centre d'art et d'activités culturelles dans le village voisin où elle tient une petite boutique de jouets.

Ce soir, pendant que son plus jeune fils fait boire le petit veau né d'hier, elle me présente Perséphone qui, l'an dernier, combattait une infection. Audrey devait la traire cinq à six fois par jour. Pour la distraire et la calmer elle lui chantait des chansons. Perséphone, c'est le nom de la déesse grecque du renouveau, cette déesse qui partage sa vie entre l'enfer et le paradis..

Audrey fait partie de ces gens qui ont plus de questions que de réponses, mais qui se donnent passionnément à tout ce qu'ils touchent. Qui sait maintenant où cette voie lactée va la mener?

Danièle Dansereau, auteure.

Deux grands groupes de nations autochtones ont occupé le territoire du Québec depuis des temps immémoriaux. Il s'agit des Algonquiens et des Iroquoiens. Tous étaient chasseurs et cueilleurs, mais les premiers avaient un mode de vie nomade tandis que les seconds étaient plutôt sédentaires et pratiquaient l'agriculture.

Les Iroquoiens, qui comprennent entre autres les Nations iroquoises et huronnes, sont donc pour nous les premiers agriculteurs. Ils vivaient en matriarcat et avaient développé un rapport avec la terre radicalement différent du nôtre, parallèlement à la reconnaissance du génie propre à la femme, «...qui est d'inculquer à l'homme qu'elle éduque les vertus sociales et humaines qu'il a besoin de connaître pour aider à maintenir les relations qui sont l'essence de l'existence et de la vie. Les femmes n'utilisent en rien une quelconque «force»...; elles ne font qu'agir par l'intuition naturelle que la création communique à ceux qui sont à l'écoute de ses lois.»(1)

«...Tous les Amérindiens font référence à leur terre comme à leur mère, composée, comme eux, d'une intelligence et d'un esprit. L'esprit qui régit la terre et produit matériellement la vie est féminin. Pour les Wendats (Hurons), la terre a été créée par une femme, nommée Aataentsic, venue d'un monde céleste. La Grande Tortue l'acueillit sur son dos et ordonna aux animaux d'y déposer un peu de terre ramenée du fond de la mer. La femme, avec les deux fils qu'elle mit aussitôt au monde, fonda et aménagea la terre pour la race humaine. Ces deux fils cherchèrent à imposer leur conception personnelle de ce que devait être la vie des humains: l'un, trop bon, la voulait facile tandis que l'autre la parsemait d'embûches et de dangers. Leur mère fit prévaloir l'équilibre et le monde des hommes fut ce qu'il est: un lieu de beauté et d'ordre, mais où les épreuves attachées à la condition humaine favorisent la compassion entre les humains, dimension morale fondamentale de la vie»(2)

---

(1) Georges Sioui, *Pour une autohistoire amérindienne*, Les Presses de l'Université Laval, pp. 20-21.

(2) Johann Jakob Bachofen, *Le droit de la mère dans l'Antiquité,* cité par Georges Sioui, *Pour une autohistoire amérindienne*, Les Presses de l'Université Laval, p. 23

ELEONORE TECUMSEH SIOUI

4 LA FEMME AMÉRIC-INDIENNE DANS UN CONTEXTE SOCIO-ÉCONOMIQUE BASÉ SUR L'AGRICULTURE

Chez les nations iroquoiennes, l'éducation était prodiguée par les mères, représentée par l'arbre, symbole de vie, d'honnêteté et de bonté, tandis que la formation était laissée aux pères, symbolisée par le roc, effigie de foi, de ténacité et de force. Ensemble ils ont créé une économie communautaire et fédérée basée sur le respect pour toute la création.

Les femmes amérindiennes ont participé à la création de ce pays dont le nom, KANATHA, appartient étymologiquement à notre langue et signifie « réunion de teepis ».

Nos mères nous ont portés, tracé les *portages*, lesquels sont devenus les grandes routes d'aujourd'hui. Ces femmes, créatrices du pays, en ont foulé les sentiers, suivant les trappeurs, tirant de lourdes charges car il fallait quitter le village pour les lignes de trappes. C'est ainsi qu'elles étaient éloignées pendant des mois. Souvent les enfants naissaient dans les tentes, sur un lit de branches de sapin. Puis on revenait au printemps au campement, avec un nouveau venu, toujours joyeusement accueilli. Mais parfois, par manque de soin, la mère ne revenait plus.

La femme a porté la nation, l'a nourrie et développée avec ou sans l'aide de l'homme. Si celui-ci l'abandonne, elle continue de pourvoir aux besoins des enfants. Ici je pense à la femme blanche; souvent lorsque la tâche est terminée et qu'elle est usée, que lui reste-t-il, lorsqu'elle ne possède aucune épargne? Il n'en n'est pas de même pour la femme amérindienne, car elle est entourée d'une famille élargie nombreuse.

La nation des Wyandots[3], au moment où le pouvoir de la Confédération était à son summum (aux alentours du XVIIe siècle) était constituée non seulement d'agriculteurs, mais avant tout d'habiles commerçants, d'ambassadeurs, de négociateurs et de diplomates. Ces économistes-ambassadeurs servaient d'intermédiaires entre le Peuple des Grands Lacs, les autres nations américindiennes et aussi les commerçants européens; certaines archives parlent même de Chinois ou d'Asiatiques venus ici vers le XIIIe siècle.

Pour nos peuples, la patrie, le territoire, n'ont pas de connotation économique mais possèdent un sens religieux. L'économie est liée à l'écologie et à l'environnement, et la religion et la culture sont étroitement reliées aux premiers éléments. Pour l'Améric-Indien, la terre-mère est l'identité, l'essence même. «La religion amérindienne est enracinée dans le sol».

Contrairement à ce qui se passe dans la société blanche dont les valeurs principales sont le travail industrialisé et la production de biens devenus indispensables à la vie du civilisé-consommateur, l'Améric-Indien ne désire que peu de choses. Aussi il ne doit pas fournir la même somme de travail de production; pour lui, le temps et l'espace sont liés à son économie et sa préoccupation première est de n'utiliser les biens de la nature qu'avec minutie et respect.

Pouvoirs des femmes: première unité, la OHWACHIRA

Le peuple était représenté par plusieurs conseils, lesquels exprimaient ses volontés; ceci demandait nécessairement une grande variété de «chefs» pour s'occuper aussi bien des affaires civiles que militaires.

Le candidat, à qui incombait quelque tâche reliée à ses exploits passés, était choisi par le suffrage des femmes seulement. Pour mieux dire, par les mères de sa famille. La sélection du candidat était ensuite soumise pour confirmation au Conseil de clan, puis au Conseil de la tribu et enfin au Grand conseil fédéral, composé de délégués des différents conseils.

---

(3) Nom amérindien de la Nation huronne.

La culture des terres était laissée aux femmes parce que, croyait-on, elles étaient comme la terre: mères et fécondes. On leur en confiait le monopole et les femmes devenaient propriétaires des terres.

Analogie entre les femmes et les surexploités

De nombreux obstacles et entraves se sont opposés à la promotion des autochtones. La description que l'on en a faite pour les dénigrer est tout à fait comparable à celle que l'on utilise aujourd'hui pour écarter du marché du travail des femmes qualifiées.

En dépit de leurs compétences professionnelles, on disait des autochtones qu'ils manquaient d'initiative, que l'on ne pouvait pas compter sur eux, qu'ils agissaient de manière imprévisible, qu'ils étaient parfois irrationnels et sujet à caution, qu'ils manquaient de ponctualité et d'imagination, qu'ils n'étaient pas à la hauteur de la situation en cas de crise, qu'ils représentaient une menace pour le bon fonctionnement de l'organisation et qu'ils avaient besoin de nombreuses années de formation avant qu'on puisse s'attendre à ce qu'ils occupent des postes supérieurs.

Mais ce qu'on ne disait pas, c'était que les Européens se sentaient mal à l'aise lorsque les autochtones travaillaient avec eux en devenant leurs collègues au lieu d'être des subordonnés ou des domestiques. On a un complexe de supériorité à protéger. « L'hypocrisie est un hommage que le vice rend à la vertu »[(4)], et « les mythes sont des poids que l'on ne discute pas ».[(5)]

De la même façon, « on voit rarement des femmes au niveau où les décisions sont prises, et même dans ce cas, elles ne jouent que des rôles subalternes »[(6)].

Encore moins les femmes amérindiennes.

Éléonore Tecumseh Sioui
Docteure en médecine traditionnelle amérindienne

(4) La Rochefoucauld.
(5) *Les femmes et l'ONU,* vol. 7, n° 1, 1975.
(6) Ibid.

TABLE DES MATIÈRES

CINQUIÈME PARTIE : UN NOUVEAU RAPPORT À LA TERRE

Pages

Lithographié au Canada
sur les presses de
Metrolitho inc. - Sherbrooke